Dieta Cetogénica y Ayuno Intermitente Para Principiantes

Descubre los Mejores Secretos Probados de la Dieta Keto y el Ayuno Intermitente que Muchos Hombres y Mujeres Usan Para Perder Peso! Aprende Sobre la Autofagia, la Dieta Baja en Carbohidratos y la Dieta Vegana!

Bobby Murray

Tabla de Contenido:

Dieta Cetogénica para Principiantes

¡Secretos Probados de la Dieta Cetogénica que Hombres y Mujeres Usan para Perder Peso y Vivir una Vida Saludable! ¡Ayuno Intermitente, Una Dieta Baja en Carbohidratos y Técnicas Veganas incluidas!

Bobby Murray

Tabla de Contenidos

Introducción

Una dieta que consta de proteínas, carbohidratos y grasas constituye la base de la vida humana. Estos productos alimenticios aportan los nutrientes necesarios para el correcto funcionamiento de tu organismo. En los últimos años, más personas han adoptado el consumo de una dieta moderna llena de alimentos procesados y basura.

Estos alimentos procesados o chatarra carecen de varios micronutrientes como vitaminas, minerales, fibra, aminoácidos, carbohidratos y proteínas. Estos productos alimenticios se consideran insalubres y han dado lugar a muchas enfermedades crónicas como la diabetes, el cáncer y las enfermedades cardíacas.

Debido al aumento de las enfermedades relacionadas con el estilo de vida asociadas con los productos no saludables, ahora más personas están probando una dieta cetogénica para ayudar a mantener un estilo de vida saludable.

La dieta cetogénica es una dieta baja en carbohidratos y alta en grasas con proteínas moderadas. Este tipo de dieta te ayuda a perder peso y te protege contra enfermedades crónicas y mejora tu bienestar. La dieta baja en carbohidratos permite que tu cuerpo queme grasa como combustible a través de un proceso conocido como cetonas en lugar de depender del azúcar en sangre.

La quema de grasas ayuda a perder peso y te brinda otros beneficios para la salud. Comer una dieta baja en carbohidratos también te ayuda a entrar en la cetosis nutricional.

Antes de comenzar una dieta cetogénica, determina tus objetivos de acondicionamiento físico, tus necesidades calóricas diarias, macronutrientes diarios y elabora tu propio menú cetogénico. Determinar las necesidades de tu cuerpo te ayudará a reducir los síntomas de la gripe cetogénica y podrás lograr tus objetivos de acondicionamiento físico. Debes seguir estrictamente tus objetivos ceto para obtener los resultados deseados.

El grado de cetosis óptimo depende de tus objetivos de salud. Por ejemplo, si estás siguiendo una dieta cetogénica para tratar las convulsiones, entonces necesitas una dieta que te ayude a alcanzar altos niveles de cetonas. Cuando estés en cetosis óptima, tu cuerpo será más eficiente en la quema de grasa como combustible. Como resultado, te sentirás mucho mejor y podrás experimentar todos los beneficios de una dieta cetogénica.

Los vegetarianos también pueden seguir la dieta cetogénica agregando más productos vegetales a la dieta y reduciendo los productos animales. La dieta vegana se compone de una ingesta baja en carbohidratos, productos ricos en grasas y fuentes altas de proteínas en alimentos veganos. Seguir correctamente la dieta cetogénica te permitirá entrar en el estado de cetosis y disfrutar de más beneficios.

Capítulo Uno: La Dieta Moderna y la Salud Humana

Desafortunadamente, hemos adoptado el consumo de una dieta moderna que tiene efectos adversos sobre la salud humana. La globalización también ha cambiado nuestro modo de comer, estilo de vida y cultura. Más personas han adoptado la cultura occidental en términos de hábitos alimenticios y ahora consumen alimentos ricos en calorías, conocidos popularmente como comida chatarra.

Una dieta que consta de nutrientes como proteínas, carbohidratos y grasas constituye la base de la vida humana. Proporcionan la energía que necesita el cuerpo para funcionar bien. La falta de estos nutrientes afecta tu capacidad reproductiva, dejando tu cuerpo propenso a más problemas de salud.

El consumo de productos alimenticios poco saludables y alimentos procesados ha provocado un aumento de problemas de salud crónicos en el mundo actual. Los países más desarrollados han aumentado los casos de artritis, intoxicación alimentaria, diabetes, obesidad, deshidratación y el desarrollo de ciertos tipos de cánceres, entre otros problemas.

La comida chatarra es rica en calorías y carece de los principales macronutrientes como carbohidratos, proteínas, aminoácidos, fibra, vitaminas y minerales. Estos macronutrientes son esenciales para un cuerpo sano. Los alimentos tienen escaso valor dietético y se consideran poco saludables.

Hoy en día, la dieta moderna está llena de basura con altos niveles de grasas trans, grasas insaturadas, azúcares refinados y aditivos. Hay pocos o ningún mineral o vitaminas que produzcan enzimas en estos tipos de alimentos. Puedes comprar comida chatarra fácilmente en los estantes. La mayoría de estas dietas modernas tienen muchos aditivos y colorantes alimentarios añadidos para mejorar el sabor de los alimentos, su textura y aumentar su vida útil.

Dieta moderna y salud humana

Tu dieta refleja tu actividad física actual, tu esperanza de vida y la situación en la que vives. A medida que los países se vuelven más urbanizados con mayores niveles de industrialización, existen diversos estilos de vida y un mayor riesgo de enfermedades crónicas.

Hemos abandonado nuestros alimentos altamente nutritivos y los hemos reemplazado con una dieta moderna hecha por el hombre. Aunque la dieta procesada moderna es más conveniente, tiene efectos adversos en nuestra salud.

A medida que los alimentos procesados se han convertido en parte de nuestra vida diaria, nuestra salud se ha ido deteriorando, lo que ha provocado un aumento de los casos de enfermedades relacionados al estilo de vida.

Hay muchos casos de enfermedades coronarias, diabetes y alto riesgo de ciertos tipos de cáncer en las áreas urbanas. Según la Organización Mundial de la Salud, hay más de 700 millones de personas en todo el mundo que son obesas.

La obesidad está relacionada con otras enfermedades como la diabetes tipo 2, las enfermedades renales, los accidentes cerebrovasculares, las enfermedades del hígado graso y la hipertensión. Algunos otros riesgos para la salud incluyen depresión, apnea del sueño y cambios hormonales.

La dieta occidental rica en grasas y azúcar mata las bacterias esenciales responsables de mantener una buena salud intestinal. Tu tracto digestivo alberga buenos microorganismos o microbiomas que son esenciales para mantener un metabolismo corporal saludable. El desequilibrio de las bacterias intestinales provocará un mal funcionamiento del sistema inmunológico, afectará a otros mecanismos corporales o provocará enfermedades.

Las bacterias intestinales dependen de la diversificación de la dieta consumida. Para mantener las bacterias buenas, debes consumir comidas saludables llenas de nueces, carbohidratos, proteínas magras y grasas insaturadas.

1. Mayor ingesta de productos dulces

Durante la era evolutiva, nuestros antepasados comían alimentos integrales llenos de enzimas, vitaminas y minerales. Estos alimentos integrales tenían un alto contenido de azúcar, pero hoy tenemos acceso a azúcares altamente refinados. Los azúcares refinados no tienen los nutrientes necesarios y la mayoría de ellos tienen cantidades muy concentradas de azúcares en forma de fructosa o jarabe de maíz.

Las industrias alimentarias han estado procesando alimentos con grasas naturales y reemplazándolas con azúcar que actúa como conservante y agrega sabor a los alimentos. Esto deja los alimentos procesados con poca grasa y altas cantidades de azúcares.

El alto consumo de azúcares no naturales en los alimentos puede aumentar los niveles de azúcar en sangre en nuestro cuerpo y, a la larga, puede resultar en muchos problemas de salud. Por ejemplo, el síndrome metabólico, la obesidad, las enfermedades cardiovasculares y la diabetes tipo 2 se asocian con la ingesta de alimentos ricos en azúcares.

2. Alto consumo de calorías con bajo valor nutritivo

Los alimentos procesados tienen muchas calorías y poca cantidad de nutrientes. Estos alimentos están diseñados para ser muy apetecibles, lo que engaña a tu cerebro para que comas en exceso. Los alimentos procesados no contienen nutrientes que disparen señales a nuestro cerebro de que está lleno. Por lo tanto, la señal de hambre siempre se enciende con la esperanza de que ingieras los nutrientes adecuados. Esto hace que comas en exceso.

Los ingredientes utilizados para hacer apetitosa la comida pueden iluminar nuestro sistema de recompensa cerebral y hacernos consumir más para obtener la energía y las vitaminas que el cuerpo necesita.

3. Consumo de una gran cantidad de carbohidratos procesados.

El alto consumo de carbohidratos reduce el valor de los micronutrientes en nuestra dieta. Hay una gran cantidad de productos con carbohidratos que se consumen durante todo el año, lo que genera cierta deficiencia de nutrientes.

El cuerpo sigue controlando los niveles de glucosa o azúcar en el torrente sanguíneo para lograr un equilibrio. Si hay demasiada o poca cantidad de azúcar en el torrente sanguíneo, el cuerpo libera hormonas que son capaces de equilibrar los niveles de azúcar.

El consumo de demasiados carbohidratos afectará el proceso normal de equilibrio corporal del azúcar en el torrente sanguíneo. Demasiada azúcar obligará al cuerpo a tratar de equilibrar el azúcar en sangre. Esto pone a tu cuerpo en un estado de estrés que resulta en un mayor riesgo de síndrome metabólico.

4. Sustitución de grasas naturales por margarina y aceites vegetales

El aceite vegetal se clasifica como grasas poliinsaturadas y puede dañarse con la exposición al calor y la luz. El aceite es rico en ácidos grasos omega-6 inflamatorios que causan afecciones inflamatorias cuando se consumen en exceso.

Nuestros cuerpos requieren el equilibrio adecuado de ácidos grasos omega 3 y omega 6. El alto consumo de omega 6 dará como resultado un desequilibrio que conduce a muchos problemas y disfunciones de salud.

Algunos aceites vegetales tienen grasas trans que aumentan el riesgo de enfermedades cardíacas y diabetes.

5. Consumo incrementado de alimentos procesados

La dieta moderna es rica en alimentos procesados que consisten en altos niveles de azúcar y jarabe de maíz de fructosa. Cuando se consume jarabe de maíz con alto contenido de fructosa en grandes cantidades, se producen problemas metabólicos.

Los alimentos procesados están llenos de aditivos y otros productos químicos que conservan el sabor, la textura y el color de los alimentos. Esto los llena de calorías y pocos nutrientes.

6. Producción del ganado

A lo largo de las décadas, consumimos productos de animales que se ponen a pastar en los pastizales. Sin embargo, debido a la alta demanda de productos pecuarios en las zonas urbanas, hemos pasado a consumir productos animales pastados en un lugar cerrado. Hoy, contamos con Concentrated Animal Feeding Operations (CAFO) donde los animales son criados por solo 45 días.

Estos animales son alimentados con algunos antibióticos que previenen cualquier enfermedad y otros medicamentos hormonales para facilitar su rápido crecimiento. También se les alimenta con dietas de alimentos no naturales que a veces resultan en problemas en su salud.

Al comer carne de estos animales, también consumirás los antibióticos y medicamentos hormonales que se les da a los animales.

7. Cultivos alimentarios no saludables

Actualmente, el mercado está inundado de cultivos alimentarios poco saludables. Muchos agricultores han estado haciendo monocultivos donde siembran el mismo tipo de cultivo todos los años en el mismo campo.

Plantar el mismo cultivo año tras año en la misma área arruina los nutrientes vitales presentes en el suelo. Esto obliga a los agricultores a utilizar fertilizantes químicos para complementar la disminución de los nutrientes del suelo.

Debido a la falta de nutrientes en el suelo, muchos cultivos alimentarios que consumimos no tienen los nutrientes clave que son esenciales para una vida saludable. La presencia de estos alimentos modernos ha degradado nuestra salud haciéndonos enfermar con más frecuencia. También estamos engordando de los alimentos procesados que comemos todos los días.

Si deseas mantener un estilo de vida y lograr tus objetivos de pérdida de peso, debes volver a los alimentos integrales reales. Tus hábitos alimenticios y la determinación de mantenerte saludable determinarán tu éxito.

Resumen del Capítulo

A medida que más personas dejaron de consumir dietas alimentarias tradicionales y adoptaron dietas modernas, existe un mayor riesgo de enfermedades crónicas. La dieta moderna ha cambiado nuestros patrones de alimentación y ha creado nuevas formas de alimentos procesados y comportamientos alimentarios.

A lo largo de los años, los patrones de alimentación tradicionales se han asociado con un estilo de vida saludable, mientras que la dieta moderna, aunque ofrece muchas comodidades, contribuye a los casos altos de obesidad y otras enfermedades del estilo de vida como el cáncer.

La dieta alimentaria moderna carece de los nutrientes esenciales para mantener un sistema inmunológico fuerte. La mayor parte de la comida incluye muchas calorías y altos niveles de azúcar. Más personas también consumen una gran cantidad de alimentos procesados que van desde alimentos como refrescos, frijoles procesados, patatas fritas, etc.

Todos estos alimentos procesados y otros alimentos chatarra que consumimos a diario no son saludables y contribuyen a un gran aumento de peso, enfermedades cardíacas y diabetes tipo 2. Por tanto, para mantener un estilo de vida saludable, es necesario reducir la ingesta de demasiadas calorías y carbohidratos.

En el próximo capítulo, aprenderás qué es una dieta cetogénica y cómo puedes comenzar a realizarla.

Capítulo Dos: La Dieta Cetogénica

Una dieta cetogénica es una dieta baja en carbohidratos y alta en grasas que te ayuda a perder peso, aumentar tu rendimiento y mantener una vida saludable.

Las dietas cetogénicas ofrecen muchos beneficios importantes para la salud. Algunos de estos beneficios incluyen la pérdida de peso, la protección contra la diabetes, la enfermedad de Alzheimer y el cáncer. Más personas están recurriendo a esta forma de dieta para reducir el peso y llevar un estilo de vida saludable.

La dieta cetogénica actúa reduciendo el consumo de carbohidratos y aumentando la ingesta de grasas. Reducir la ingesta de carbohidratos pone a tu cuerpo en un estado de cetosis, un proceso metabólico que hace que el cuerpo sea más eficiente al quemar todas las grasas corporales en energía.

Las grasas de tu hígado se convierten en cetonas que actúan como fuente de energía necesaria para el correcto funcionamiento del cerebro. El proceso de la dieta cetogénica es ideal para reducir los niveles de azúcar en sangre y la insulina en tu cuerpo. Junto con las cetonas producidas por el hígado, aportan muchos beneficios para la salud.

Las cetonas son una fuente alternativa de combustible para el cuerpo y se utilizan principalmente cuando los niveles de azúcar en sangre son limitados. Comer algunos carbohidratos o calorías hará que el hígado produzca cetonas a partir de las grasas del cuerpo.

Tu cerebro requiere mucha energía todos los días para funcionar bien y, en la mayoría de los casos, no puedes depender de la energía de la quema de grasas directamente. Por lo tanto, utilizas el azúcar en sangre (glucosa) y las cetonas para funcionar correctamente.

En la dieta cetogénica, el cuerpo produce cetonas que se liberan en el torrente sanguíneo. Las células de nuestro cuerpo normalmente usan el azúcar en sangre generado a partir de carbohidratos como fuente de combustible. Dado que consumes menos carbohidratos durante la dieta ceto, las células no tendrán suficientes niveles de azúcar en sangre. Por lo tanto, el cuerpo comenzará a descomponer la grasa almacenada en moléculas de cetona a través del proceso de cetosis.

Durante el proceso de cetosis, las células usarán las cetonas como fuente de energía hasta que comiences a consumir carbohidratos. A medida que tu cuerpo entra en un estado de cetosis, produces más cetonas para proporcionar un suministro constante de energía. El ayuno intermitente es una de las formas más rápidas de poner tu cuerpo en un estado de cetosis.

El proceso de usar el azúcar en sangre (glucosa) para descomponer la grasa almacenada en cetonas para su uso como fuente de energía para el cuerpo generalmente toma de 2 a 4 días, luego puede comenzar a consumir carbohidratos nuevamente en pequeñas cantidades. Por lo general, de 20 a 50 gramos de carbohidratos en un solo día.

Dado que la dieta tiene pocos carbohidratos, es rica en proteínas y grasas y la cantidad consumida puede restringirse a un individuo específico. Es decir, hay algunas personas que deberían tener una dieta restringida para producir suficientes cetonas para el organismo.

La cetosis para tu camino en la pérdida de peso

La dieta cetogénica tradicional te ayuda a reducir las calorías netas totales consumidas de los carbohidratos a alrededor del 10%. Como resultado, tu cuerpo puede entrar en un estado de cetosis. En esta etapa, el cuerpo usa grasas y cetonas generadas por el hígado como fuente de energía en lugar de usar carbohidratos.

Por lo tanto, ingerir menos carbohidratos y aumentar los niveles de ingesta de grasas a alrededor del 70 al 90% de calorías y proteínas moderadas te ayudará en el viaje de pérdida de peso.

En una dieta cetogénica, tu cuerpo cambiará tu suministro de energía y dependerás completamente de la energía quemada de las grasas 24 horas al día, 7 días a la semana. Cuando los niveles de insulina son muy bajos, tu cuerpo quema mucha grasa para aumentar tu suministro de combustible. Este proceso es muy eficaz cuando se busca perder peso. También asegura que te sientas menos hambriento y te proporciona un suministro constante de energía.

Siguiendo el procedimiento de la dieta cetogénica, reduces los niveles de grelina que actúa como la hormona del hambre en tu cuerpo. Por lo tanto, cuando tus niveles de grelina son bajos, solo comerás unas pocas calorías durante el día. Esto contribuirá enormemente a tu pérdida de peso.

Reducir la ingesta de carbohidratos también puede contribuir a la pérdida de peso en agua, lo que es esencial para perder peso. Los carbohidratos en el cuerpo se almacenan en forma de agua, por lo tanto, cuando reduces la ingesta de carbohidratos, todos los carbohidratos almacenados en el cuerpo se liberan junto con cualquier otro líquido adicional. Como resultado, contribuye significativamente a la pérdida de peso.

¿Es la Dieta Cetogénica indicada para todos?

Existen muchos mitos y conceptos erróneos sobre el uso de una dieta cetogénica para bajar de peso. Casi todo el mundo puede probar una dieta cetogénica, pero si tienes ciertas afecciones o estás bajo medicación, debes hacerlo bajo una supervisión especial.

Algunas de las condiciones que deben tenerse en cuenta antes de empezar la dieta cetogénica incluyen;

· Si estás tomando medicación para la diabetes, como la insulina

· Si estás tomando medicación para la presión arterial alta.

· Si te encuentras amamantando

· Si padeces enfermedad del hígado.

Si estás tomando algún medicamento para la afección anterior, debes hablar con tu médico antes de comenzar una dieta cetogénica y seguir la guía del médico.

La dieta cetogénica puede ayudarte a eliminar el exceso de grasa asociado con la diabetes tipo 2 y la prediabetes. Un estudio indicó que seguir una dieta cetogénica adecuada bajo una estrecha supervisión con tu médico mejora la sensibilidad a la insulina en aproximadamente un 75%.

Tipos de Dietas Cetogénicas

Cuando planees comenzar una dieta cetogénica, existen diferentes versiones que puedes probar. Incluyen:

· **Dieta Cetogénica Standard (SKD):** En esta forma de dieta, debes consumir productos alimenticios que consistan en un 5% de carbohidratos, un 20% de proteínas y un 75% de grasas.

· **Dieta Cetogénica Cíclica (CKD):** Esto requiere que te concentres en una dieta cetogénica estándar durante 5 días y luego sigas una dieta alta en carbohidratos durante otros 2 días. Este método es ideal para reducir los síntomas de la gripe cetogénica y aumentar la fuerza muscular.

· **Dieta Cetogénica Localizada (TKD):** Con este tipo de dieta, puedes practicar la dieta cetogénica normal y solo comer carbohidratos durante los entrenamientos. Por lo tanto, cada día que haces ejercicio, debes comer carbohidratos.

· **Dieta Cetogénica con alto contenido protéico:** Esto sigue el proceso de dieta cetogénica estándar con una ingesta adicional de más proteínas. En este caso, la proporción de carbohidratos será del 5%, el 35% de proteínas y el 60% de grasas.

La dieta cetogénica estándar es muy recomendable para mantener una vida sana y perder peso.

¿Es la Dieta Cetogénica saludable?

La pérdida de peso es una de las principales razones por las que la mayoría de las personas siguen una dieta cetogénica. Las personas que eligen la dieta cetogénica pierden peso más rápido que las que siguen una dieta tradicional baja en grasas.

La dieta también es excelente para reducir las convulsiones en los niños y es muy recomendable como complemento a la medicación debido a sus propiedades neuroprotectoras.

La dieta se puede utilizar para aliviar las condiciones de varios problemas de salud. Inicialmente, la dieta se usaba para tratar afecciones neurológicas como la epilepsia, pero ahora brinda otros beneficios para diferentes afecciones de salud.

Algunos de estos beneficios incluyen;

1. Tratamiento contra cáncer

La dieta cetogénica puede tratar diferentes tipos de cáncer y puede ralentizar el crecimiento de tumores.

2. Enfermedades cardíacas

La práctica de una dieta cetogénica puede ayudar a reducir los niveles de azúcar en sangre, los niveles de colesterol, la grasa corporal y reducir el riesgo asociado con la condición de la presión arterial. La dieta puede ayudar a controlar los niveles de azúcar en sangre, especialmente para aquellos con diabetes tipo 2.

3. Acné

El consumo de dietas altas en grasas y bajas en carbohidratos puede ayudar a reducir los niveles de azúcar en el cuerpo. También ayuda a evitar los alimentos procesados que empeoran la condición del acné. Los niveles bajos de insulina en tu cuerpo pueden ayudar a eliminar el acné.

4. Epilepsia

La dieta cetogénica se usa para tratar las convulsiones en niños con epilepsia.

5. Enfermedad del Alzheimer

La dieta puede ayudar a reducir los síntomas de este tipo de enfermedad, así como a ralentizar su velocidad de progresión.

6. Síndrome de ovario poliquístico (PCOS)

La insulina juega un papel clave en el crecimiento del síndrome de ovario poliquístico. La condición de PCOS es un trastorno hormonal que conduce al agrandamiento de los ovarios. Por lo tanto, seguir la dieta cetogénica ayudará a reducir la producción de insulina, inhibiendo el crecimiento de la condición de ovario poliquístico.

Los estudios realizados pueden mostrar los resultados a corto plazo de una dieta cetogénica. No hay ningún estudio que indique que la dieta sea eficaz a largo plazo o si es segura para un uso prolongado.

¿Es la Dieta Cetogenica indicada para ti?

Esta dieta baja en carbohidratos tiene muchos beneficios, pero no todo el mundo necesita realizarla ¡Echemos un vistazo a los siguientes factores para ayudarte a saber si este tipo de dieta es adecuada para ti!

1. ¿Por qué necesitas la dieta baja en carbohidratos?

¿Tienes alguna condición de salud preexistente que la dieta cetogénica pueda ayudarte a resolver? Pregúntate si es necesario continuar con este tipo de dieta.

Reducir la ingesta de carbohidratos es uno de los mejores primeros pasos que puedes tomar para resolver varios problemas de salud. Por ejemplo, la obesidad o cualquier problema metabólico pueden resolverse fácilmente cambiando tu dieta normal.

Aunque la dieta cetogénica no puede curar todas las enfermedades, puede ser eficaz como método de intervención inicial. Además, la dieta puede ser una adición complementaria a cualquier otro medicamento que estés tomando.

Si estás tomando algún medicamento, especialmente la presión arterial alta, debes consultar con tu médico antes de realizar cambios drásticos en tu dieta.

¿Te beneficiarás de otras formas con la dieta cetogénica?

Los cambios en la dieta también se pueden utilizar por otras razones además de la pérdida de peso y los problemas de salud. Puede ser una excelente manera de mejorar tu rendimiento deportivo y tu estilo de vida. Por tanto, hay que buscar otros beneficios de la dieta cetogénica.

La dieta cetogénica baja en carbohidratos es excelente si;

· No tienes ningún problema metabólico

· No tienes diabetes.

· Sientes que la dieta cetogénica afectará negativamente la calidad de tu vida a pesar de los beneficios para la salud de comer comidas bajas en carbohidratos.

Hay alimentos como cereales integrales, verduras subterráneas y frutas que forman parte de los carbohidratos, lo que hace que algunas personas quieran incluir estos productos en sus dietas.

2. ¿Cuánto debes disminuir la cantidad de carbohidratos que consumes?

En una dieta cetogénica, cada día necesitas consumir 20 gramos de carbohidratos en promedio. La cantidad exacta de carbohidratos que consumes varía de un individuo a otro. Algunas personas entran en estado de cetosis con 20 gramos de carbohidratos que otras. Por lo tanto, no todos necesitan menos carbohidratos para beneficiarse.

Por lo tanto, la cantidad de carbohidratos que consumes depende de tus objetivos dietarios establecidos, tu historial médico, quién eres y si estás tratando de curar una determinada afección.

El nivel de carbohidratos a consumir está determinado por;

· Si estás deseando perder peso de forma masiva. En este caso, una dieta cetogénica estricta será ideal para ti. Pero, si solo deseas mantener tu peso, una dieta baja en carbohidratos más estandarizada será efectiva para ti.

· Si deseas tratar, revertir o agregar una terapia complementaria a tu condición médica existente. Si tienes diabetes tipo 2, cáncer o deseas tratar las convulsiones, será más eficaz seguir una dieta cetogénica estricta.

Si solo estás consumiendo carbohidratos para mantenerte saludable o solo para tu bienestar, una ingesta de carbohidratos de menos de 100 gramos será efectiva.

· También debes considerar si reducir los carbohidratos en tu dieta tendrá algún efecto positivo o negativo en tu vida. Debes considerar el nivel de carbohidratos que sea favorable y socialmente factible para ti.

Por lo tanto, tener en cuenta estas preocupaciones puede ayudarte a determinar la cantidad de carbohidratos que se supone que debes incluir en tu programa dietético diario.

3. Dónde empezar

Después de determinar que la dieta baja en carbohidratos es buena para ti, puedes seguir adelante, elaborar la dieta cetogénica y comenzarla.

Resumen del Capítulo

La dieta cetogénica es una excelente alternativa para tratar ciertas afecciones médicas y ayuda a perder peso. Aunque es muy difícil seguir la dieta durante mucho tiempo, vale la pena intentarlo durante unos días para obtener los resultados deseados.

Hay diferentes tipos de dietas cetogénicas en las que puedes participar. La dieta cetogénica estándar es muy recomendable, pero es bueno investigar los otros tipos y conocer los pros y los contras de cada uno.

Si tienes una determinada afección médica, sigue una dieta cetogénica que te ayudará a tratar tu afección. Siempre asegúrate de que la dieta cetogénica que uses pueda funcionar en tu vida diaria y no interfiera con los medicamentos para tu afección.

La dieta ceto obliga a tu cuerpo a usar cetonas como fuente de combustible en lugar de depender de la glucosa o el azúcar de los carbohidratos. A medida que tu cuerpo entra en el estado de cetosis y quema grasa corporal, te ayuda a perder algunas libras.

Siempre come las porciones correctas de carbohidratos, proteínas y grasas. Comer muchas proteínas puede afectar el resultado de la cetosis.

En el próximo capítulo, aprenderás por qué debes seguir una dieta cetogénica y qué tiene de bueno esta dieta.

Capítulo Tres: Por qué deberías o no seguir la Dieta Cetogénica

Una dieta cetogénica es buena para ti porque te proporciona un plan dietético que puedes seguir para comer alimentos ricos en grasas saludables, pocos carbohidratos y cantidades adecuadas de proteínas. El objetivo principal de este tipo de dieta es obtener calorías de los alimentos grasos y no de los carbohidratos.

La dieta cetogénica funciona haciendo que el cuerpo use la grasa como fuente de energía en lugar de depender de la energía de los carbohidratos. Entonces, cuando tu ingesta de carbohidratos es muy baja, tu cuerpo utilizará el combustible de las cetonas producidas a través de la descomposición de las grasas en el hígado.

Debido a los diversos beneficios del programa, puedes utilizarlo como una forma de mantener un estilo de vida saludable. A veces, los médicos y dietistas administran clínicamente una dieta cetogénica para tratar ciertas afecciones médicas. En este caso, tu médico o dietista debe controlar tu dieta diaria para asegurarse de que obtengas todos los nutrientes que tu cuerpo necesita.

Beneficios del proceso de cetosis

1. Reduce la inflamación y el estrés oxidativo.

La cetosis nutricional es muy beneficiosa para las personas. No solo proporciona una fuente sostenible de energía a través de las cetonas, sino que también ayuda a reducir la inflamación y el estrés oxidativo. Las dos condiciones están muy relacionadas con las enfermedades crónicas.

Los pacientes con cáncer pueden utilizar esta forma de dieta como tratamiento complementario durante las sesiones de radiación y quimioterapia. La dieta cetogénica causará estrés oxidativo a las células cancerosas.

2. Regulación del apetito

Cuando estás en cetosis, no sientes hambre con tanta frecuencia. Según la investigación, el proceso de cetosis puede suprimir el apetito y hacer que te sientas saciado. La dieta puede suprimir los niveles de grelina (la hormona del hambre) haciéndote sentir lleno.

Aquellos que no están en cetosis tienen niveles más altos de grelina.

3. Pérdida de peso

Al seguir una dieta cetogénica, es probable que comas menos debido a la ingesta restringida de carbohidratos. Esto te indica que comas más grasas y proteínas para sentirte satisfecho. La cetosis también suprimirá el hambre y reducirá los niveles de insulina para poder quemar mucha grasa como fuente de energía para tu cuerpo. Quemar grasa te hace perder algunos kilos.

4. Manejo de convulsiones

Una dieta cetogénica clásica que te coloca en cetosis sostenible es un método eficaz que te ayuda a tratar las afecciones de la epilepsia en niños y adultos. Por lo tanto, si la condición de epilepsia no responde a los medicamentos administrados, la dieta cetogénica puede ser de gran ayuda.

5. Mejora tu rendimiento atlético

Una dieta cetogénica es muy apreciada entre los atletas porque les ayuda a aumentar el metabolismo de la grasa. Cuando se consume una dieta baja en carbohidratos y alta en grasas, los músculos podrán oxidar mucha grasa al hacer ejercicio.

El estado de cetosis puede proporcionar a tu cuerpo un suministro continuo de energía cuando haces ejercicio. El cuerpo podrá quemar grasa y producir más cetonas para usar como energía en lugar de usar la energía producida a partir de carbohidratos.

6. Revertir su diabetes

El proceso de cetosis ayuda a regular los niveles de azúcar en sangre y los niveles de insulina. La dieta puede ayudar a normalizar la afección y contribuir a la recuperación completa. Si tienes diabetes tipo 2, la cetosis puede ayudar a tratar la afección, por lo que es posible que no necesites el medicamento para la diabetes o prediabetes.

7. Mejora la condición del acné

En la mayoría de los casos, el acné está relacionado con el tipo de dieta que consumes y tus niveles de azúcar en sangre.

El consumo de muchos alimentos procesados o muchos carbohidratos refinados puede afectar las bacterias buenas en tu intestino. También puedes aumentar los niveles de azúcar en sangre en tu cuerpo. Todas estas condiciones pueden afectar negativamente la salud de tu piel, aumentando el acné.

La dieta cetogénica restrictiva puede ayudarte a reducir los síntomas del acné.

Cómo entrar en cetosis

Hay varios métodos que puedes utilizar para entrar de forma segura en un estado de cetosis nutricional. Estos métodos incluyen;

1. Reduce tu ingesta diaria de carbohidratos a 20 gramos o menos

Aunque puedes consumir más que esto, comer menos de 20 gramos de carbohidratos por día te llevará a la cetosis nutricional muy rápido.

2. Ayuno intermitente

Saltarse las comidas durante aproximadamente 16 a 18 horas cada día puede llevarte rápidamente a un estado de cetosis. Esto es posible omitiendo el desayuno o la cena cuando ya estás en una dieta cetogénica. El programa de dieta te facilitará la supresión del apetito.

3. Consume mucha grasa

Las altas cantidades de grasas son las que hacen la dieta cetogénica, así que no temas comer alimentos ricos en grasas. Asegúrate siempre de que cada comida tenga productos alimenticios que produzcan grasas saludables. La grasa se descompondrá en cetonas.

4. Usa aceite de coco para cocinar

Además de utilizar productos naturales que produzcan grasas saludables, puedes utilizar aceite de coco que tiene ácidos grasos de cadena media. Los ácidos grasos ayudan a impulsar la producción de cetonas.

5. Haz más ejercicio

Aunque es posible que no tengas la energía necesaria para el ejercicio vigoroso cuando haces la transición a la cetosis, hacer pequeños ejercicios, como una caminata rápida todos los días, puedes llevarlo rápidamente a la cetosis.

Suplementos de cetonas que puede utilizar

Debido a la popularidad de la dieta cetogénica, existen numerosos suplementos de cetonas diseñados para ayudar a las personas que hacen dieta cetogénica.

Es posible que los suplementos por sí solos no tengan ningún efecto en tu cuerpo, pero cuando se consumen durante el programa de dieta cetogénica pueden tener algunos efectos. Puedes comprar cualquiera de los suplementos y ver sus efectos en tu cuerpo.

Algunos de los mejores suplementos que puedes usar incluyen:

1. Aceite MCT

Este es uno de los suplementos más utilizados. El aceite contiene compuestos de triglicéridos que aumentan el contenido de grasa para permitir que las personas que hacen dieta permanezcan en cetosis por mucho tiempo. El ácido graso de cadena media hace que el aceite se digiera fácilmente, pero también tiene algunos efectos secundarios en comparación con la digestión de las grasas naturales tradicionales.

2. Enzimas digestivas

Algunas personas pueden experimentar problemas digestivos al seguir la dieta ceto debido al alto contenido de grasa en la dieta. El uso de suplementos de enzimas digestivas como la lipasa puede ayudar a aliviar el problema de la digestión al ayudar en la descomposición de las grasas.

3. Cetonas exógenas

Este suplemento ayuda a aumentar los niveles de cetonas en sangre y te permite alcanzar rápidamente la cetosis.

4. Electrolitos cetogénicos

Este tipo de suplemento es fundamental a la hora de iniciar una dieta cetogénica. Puedes experimentar pérdida de peso por agua en sus etapas iniciales y tomar el suplemento de electrolitos te ayudará a retener los nutrientes importantes como el potasio, el sodio y el magnesio.

5. Polvos de proteína cetogénica

Los suplementos de proteínas están formulados para ayudar a lograr la cetosis al consumir algunos carbohidratos.

Según un estudio realizado sobre cetonas exógenas y aceite MCT, indicó que el suplemento puede ayudar en la pérdida de peso al suprimir la hormona del hambre, lo que te hace comer pocas calorías.

Sin embargo, no es importante agregar suplementos a tu dieta cetogénica. Solo ayudan a tu cuerpo a hacer la transición a una dieta estricta y la hacen más tolerable para ti.

Riesgos asociados con la dieta cetogénica

Aunque la dieta cetogénica ofrece muchos beneficios, existen muchos riesgos asociados con este tipo de dieta. La dieta no proporciona un equilibrio de todos los nutrientes requeridos por el cuerpo.

Puede parecer seguro para un plan de dieta cetogénica a corto plazo, pero no hay suficiente investigación para confirmar la seguridad del plan de alimentación a largo plazo. Por ejemplo, el uso prolongado de este plan de alimentación se asocia con cálculos renales, acumulación de grasa en el hígado, gran cantidad de proteínas en la sangre y falta de minerales y vitaminas esenciales.

Echemos un vistazo a cada uno de estos riesgos;

1. Grasas saturadas

Calentar alimentos con altas cantidades de grasas saturadas puede aumentar el riesgo de enfermedades cardíacas. Se recomienda consumir grasas saturadas de menos del 7% de sus calorías diarias. La dieta ceto también está relacionada con el colesterol LDL malo, que puede aumentar el riesgo de enfermedad cardíaca.

2. Problemas de hígado

La dieta requiere que consumas una gran cantidad de grasas que luego se descomponen en energía. Tener demasiada grasa para que el hígado la metabolice puede empeorar una condición hepática existente.

3. Deficiencia de nutrientes

Una dieta cetogénica te limita a los tipos de verduras, frutas y proteínas que debes comer. Dado que la ingesta de una variedad más amplia de frutas y verduras es limitada, se reduce el consumo de nutrientes esenciales para una vida sana. Esto te pone en alto riesgo de deficiencia de micronutrientes.

Tu cuerpo puede carecer de minerales esenciales como magnesio, fósforo y vitaminas.

4. Estreñimiento

Una dieta cetogénica excluye los alimentos ricos en fibra como las legumbres o los cereales integrales que ayudan a la digestión. La falta de estos productos alimenticios en tu dieta puede aumentar el riesgo de estreñimiento.

5. Problemas renales

Una de las funciones principales del riñón es metabolizar las proteínas que consumes. Una dieta cetogénica puede sobrecargar el riñón con demasiadas proteínas, ya que todos los días hay que comer una determinada porción de proteínas. Las mujeres deben consumir 46 gramos de proteína cada día, mientras que los hombres deben consumir 56 gramos de proteína.

6. Cambios de humor

Su cerebro requiere una gran cantidad de azúcar en sangre generada a partir de carbohidratos saludables para funcionar bien. El consumo de alimentos bajos en carbohidratos privará al cerebro de la cantidad de energía que necesitas cada día, lo que provocará irritación, confusión y cambios de humor.

Al iniciar la dieta cetogénica, algunas personas experimentan "gripe cetogénica" antes de que el cuerpo se adapte al nuevo plan de dieta. Algunos síntomas de la gripe cetogénica incluyen;

- Estreñimiento
- Fatiga
- Náuseas

· Dolores de cabeza
· Bajos niveles de azúcar en sangre
· Vómitos
· Tolerancia reducida a los ejercicios

Resumen del Capítulo

Antes de comenzar cualquier plan de dieta, es importante hablar con tu médico, especialmente si tienes una condición de salud, un trastorno alimentario, un embarazo o lactando. Algunas de estas condiciones pueden complicar tu salud y causar algunos efectos adversos en lugar de beneficiarte de la dieta cetogénica.

Aunque hay muchos beneficios a corto plazo de participar en una dieta cetogénica de plan corto, no hay estudios que confirmen los beneficios de un plan de dieta cetogénica a largo plazo.

Al comenzar con el plan, tu cuerpo puede experimentar algo de gripe cetogénica antes de adaptarse al nuevo plan de dieta. Algunos de los síntomas de la gripe cetogénica pueden tener efectos adversos más adelante.

La dieta también restringe el consumo de carbohidratos que se sabe que brindan diversos beneficios para la salud. Un buen programa dietético debe ser menos restrictivo y permitirte consumir alimentos ricos en nutrientes, grasas naturales, muchos carbohidratos, incluidas frutas y verduras, y muchas proteínas nutritivas.

En el próximo capítulo, aprenderás cómo iniciar un plan de dieta cetogénica.

Capítulo Cuatro: Empezando con la Dieta Cetogénica

La dieta cetogénica, aunque existió desde la década de 1970, está ganando mucha atención y reconocimiento en las redes sociales. Hay muchos artículos sobre planes de dieta cetogénica, pero para obtener los mejores resultados, debes dominar cómo controlar tus calorías.

Entonces, si la dieta cetogénica es algo que deseas disfrutar y hacerla parte de tu estilo de vida, házlo.

Además, la dieta cetogénica es segura para la mayoría de las personas, pero es bueno consultar con tu médico antes de comenzar este plan de dieta.

Una dieta cetogénica es muy difícil de seguir y requiere mucha dedicación para lograr los resultados deseados. También debes realizar un seguimiento de tus porciones diarias.

Si excedes el tamaño de tus porciones de comida, puedes terminar ganando peso en lugar de reducirlo. También debes controlar la cantidad de nutrientes consumidos en cada comida.

Pasos para comenzar

Independientemente de la publicidad en Internet y de lo que veas sobre la dieta cetogénica, el solo hecho de comer cualquier porción de comida cetogénica no garantiza los resultados deseados. Para aprovechar al máximo el plan de dieta cetogénica, debes ajustar tu ingesta de calorías y controlar las porciones de alimentos adecuadas. Una vez que personalices tus comidas según lo que funcione para ti y lo que te lleve a la cetosis, entonces estarás listo para comenzar.

Probablemente te estés preguntando, ¿cómo sabré las porciones de comida que me funcionan? No te preocupes, esta guía paso a paso lo guiará a través de la creación de un plan de dieta que funcione para ti.

Paso 1: Determina tus objetivos de fitness

Antes de comenzar cualquier plan de dieta, debes identificar tu razón u objetivo principal de por qué necesitas este plan de dieta. Esto te ayudará a formular tus necesidades dietéticas y a elaborar guías personalizadas sobre cómo lograr tu objetivo.

Algunas de las razones por las que la mayoría de las personas optan por planes de dieta incluyen;

- Pérdida de peso
- Mejorar el rendimiento deportivo
- Ganar peso muscular
- Mejorar la salud

Si estás ansioso por perder algo de peso o grasa en tu cuerpo, entonces un plan de dieta cetogénica será ideal ti. Te permitirá reducir la ingesta de calorías.

A los atletas y a aquellos que realizan entrenamientos intensivos les encantaría aprovechar las grasas abundantes en el cuerpo como fuente de energía. Usar un plan de dieta cetogénica con una gran cantidad de grasas ayudará a aumentar el rendimiento y la resistencia.

Si la única razón es mejorar tu salud, puede ser un desafío lograrlo. Las dietas cetogénicas siempre son restrictivas y obtener una dieta completa con muchas vitaminas y micronutrientes puede ser un desafío. Pero puedes optar por planes de dieta cetogénica ricos en alimentos nutritivos para mejorar tu nutrición. De lo contrario, puedes intentar mejorar tu salud mediante la pérdida de peso.

Para aquellos que esperan ganar masa muscular, es posible que la dieta ceto no les brinde los mejores resultados debido al consumo restringido de carbohidratos. Si usas la dieta ceto para ganar músculo, debes concentrarte en tener un plan de dieta con calorías adicionales, hacer algunos ejercicios y aumentar la ingesta de productos alimenticios ricos en minerales.

Paso 2: Determina tus calorías diarias necesarias

Después de identificar tu principal objetivo de salud, el siguiente paso es determinar la cantidad de calorías que debes consumir cada día. Esto es muy importante ya que te ayuda a perder, ganar y mantener tu peso.

Esto se puede hacer fácilmente usando una calculadora en línea o una aplicación de acondicionamiento físico que te permite ingresar tu edad, sexo, peso y nivel de condición física para ayudar a determinar tus necesidades calóricas diarias.

Por ejemplo, si quieres perder peso, podrás saber cuántas calorías debes consumir al día.

Paso 3: Determina tus macronutrientes cetogénicos

Aunque saber cómo controlar las calorías es muy importante para tu peso, también necesitas conocer los macronutrientes cetogénicos para que puedas alcanzar tus objetivos de peso. Al entrar en cetosis, es muy importante poder alcanzar tus objetivos de ingesta de carbohidratos todos los días.

En una dieta cetogénica, debes seguir los planes estrictos que garanticen que alcances tus objetivos diarios de macronutrientes. Esto incluye consumir una dieta alta en grasas y extremadamente baja en carbohidratos. Por ejemplo, un plan de dieta cetogénica normal consiste en calorías hechas de;

· 70% de grasas

· 25% de proteínas

· 5% de carbohidratos

Sin embargo, los macronutrientes dependen de tus objetivos de acondicionamiento físico, eficiencia metabólica y otros factores.

La calculadora de macronutrientes cetogénica en línea puede ayudarte a calcularlos.

Paso 4: Crea tu menú cetogénico

Una vez que tengas tu consumo diario de calorías, puedes crear tu menú diario. Antes de cargar el menú con todos los productos alimenticios que se te ocurran, debes considerar la calidad y el valor nutricional de los alimentos para elegir. Estos dos factores son muy importantes para tu salud.

Elegir alimentos que tengan un alto valor nutritivo te ayudará a sobrellevar la gripe cetogénica, a aumentar tus niveles de energía, controlar tu estado de ánimo y cualquier antojo. Esto te facilitará seguir la dieta durante mucho tiempo.

Entonces, ¿qué debes comer en una dieta cetogénica?

Dado que la dieta requiere que comas muchas grasas y pocos carbohidratos, es posible que te resulte difícil planificar tus comidas. Esto se debe a que la mayoría de los productos con carbohidratos no son aptos para la dieta cetogénica, como los cereales integrales, el pan, algunas verduras y frutas.

Las frutas y verduras son las principales fuentes de carbohidratos. Casi todas las frutas son ricas en carbohidratos. También puedes comer menos verduras ricas en carbohidratos como col rizada y espinaca. Otras verduras que puedes comer incluyen pepino, champiñones, brócoli, coles de Bruselas, coliflor, cebollas, apio, zanahorias, etc.

Al calcular cuántos carbohidratos comer, también debes considerar la cantidad de fibra que consume. Todos los carbohidratos se crean con diferentes valores nutricionales y generan diferentes cantidades de calorías.

Si los carbohidratos consumidos tienen una gran cantidad de fibra, entonces no se absorberán fácilmente en el cuerpo. Tampoco afectará los niveles de azúcar en sangre e insulina en tu cuerpo. Por lo tanto, eliminar los carbohidratos que tienen fibra te proporcionará los carbohidratos netos para consumir todos los días.

· Carbohidratos totales por día-fibra = carbohidratos netos.

Los productos alimenticios a base de plantas tienen altas cantidades de fibra y no solo te ayudan con los problemas de indigestión y el valor nutricional, sino que también te ayudan a administrar tu consumo diario de carbohidratos para tu plan de alimentación cetogénica.

Lleva un registro de tu consumo diario de frutas y verduras ricas en nutrientes para mantener tus objetivos.

Tu menú debe incluir vegetales ricos en nutrientes bajos en carbohidratos, proteínas y grasas saludables. Tener un equilibrio de calorías y una buena nutrición te permitirá mantenerte saludable.

Asegúrate de que cada comida tenga alimentos grasos. Las grasas insaturadas también se pueden incluir en la dieta. Por ejemplo, incluye aguacates, aceite de oliva, tofu y nueces como almendras y nueces.

Se recomienda las grasas saturadas como la manteca de cacao, los aceites de coco, el aceite de palma y la mantequilla.

Puedes utilizar alimentos con proteínas magras y productos con proteínas que tengan cantidades más altas de grasas saturadas como cerdo, tocino y ternera.

Paso 5: Siga estrictamente sus objetivos cetogénicos

La planificación de las comidas cetogénicas puede ser fácil, pero seguir la dieta puede ser un problema para algunas personas. Para lograr tus objetivos cetogénicos, debes ser muy constante y ceñirte al menú durante un par de semanas.

Necesitas desarrollar hábitos y rutinas alimenticias saludables para tener éxito. También debes tomar las decisiones adecuadas para tu salud.

Debes responsabilizarte mediante el uso de una aplicación compatible con la dieta cetogénica que te ayude a realizar un seguimiento del consumo diario de calorías y macronutrientes. Controlar el consumo diario de alimentos y bebidas te ayudará a saber si podrás alcanzar tus objetivos nutricionales. También te ayudará a conocer tus hábitos alimenticios y las áreas en las que puedes realizar cambios.

Consejos para comenzar

Una vez que hayas formulado tu plan de alimentación, puedes continuar y comenzar tu programa de dieta cetogénica.

Debes beber mucha agua. El agua es muy esencial en el plan de dieta cetogénica o en cualquier otro plan de dieta porque cuando consumes carbohidratos, tu cuerpo almacenará el exceso de carbohidratos como glucógeno en el hígado. Este glucógeno adicional se convierte en moléculas de agua.

Cuando comes pocos carbohidratos, no habrá glucógeno y tu cuerpo tendrá menos agua almacenada en el hígado dejándote deshidratado. Para evitarlo, conviene beber mucha agua. Trata de consumir más de 8 tazas diarias recomendadas.

La dieta baja en carbohidratos no solo reduce el agua almacenada, sino que también puedes eliminar los electrolitos importantes como el sodio, el magnesio y el potasio, haciéndote sentir como si estuvieras enfermo (gripe cetogénica).

Para evitar esto, puedes tomar los suplementos de cetosis, comer verduras en escabeche o beber caldo de huesos.

Cuando estés en una dieta cetogénica, debes comer cuando tengas hambre, olvídate de la mentalidad de que debes comer de 4 a 6 comidas al día. Comer con más frecuencia puede afectar tu proceso de pérdida de peso.

Hacer algunos ejercicios de baja intensidad te ayudará a sentirte mucho mejor y a mejorar tu salud.

Resumen del Capítulo

Si tienes problemas para comenzar con la cetosis, los pasos anteriores te ayudarán a comenzar. Podrás definir tus objetivos para seguir un plan de dieta cetogénica y cómo podrás alcanzarlos.

Determinar los objetivos de tu plan de salud te ayudará a saber cuántas calorías y carbohidratos se supone que debes consumir cada día.

Un plan de dieta ceto consiste en carbohidratos bajos, proteínas moderadas y una ingesta alta de grasas. Por lo tanto, según las necesidades de tus macronutrientes, puedes usar una calculadora en línea para determinar la cantidad de carbohidratos netos que debes tomar por día y las calorías de grasas, proteínas y carbohidratos. Esto te permitirá controlar fácilmente tu consumo diario.

Determinar tus macros cetogénicas te ayudará a mantener un equilibrio y garantizará que comas productos alimenticios nutritivos. También ayudará a determinar qué comer cada día para que logres tus objetivos.

Un plan de dieta cetogénica es muy restrictivo, a veces puede resultarte difícil cumplir con el menú, pero requiere mucha consistencia y compromiso para lograr tus objetivos cetogénicos.

En el próximo capítulo, aprenderás estrategias para una cetosis óptima.

Capítulo Cinco: Estrategias para alcanzar la cetosis óptima

Una dieta cetogénica se centra en el nivel de macronutrientes consumidos con el objetivo principal de alcanzar una cetosis óptima.

Esta proporción de macronutrientes consiste en un 5% de carbohidratos, un 25% de proteínas y un 70% de grasas para hacer un plan de dieta cetogénico completo.

¿Qué es la cetosis?

La cetosis es un estado metabólico en el que el cuerpo depende de las grasas quemadas como fuente de combustible/energía en lugar de depender de los carbohidratos.

Este es uno de los métodos eficaces que se utilizan para perder peso, mantener los niveles de energía y tener claridad mental. El objetivo principal del plan de dieta cetogénica es alcanzar el estado de cetosis. Puedes alcanzar fácilmente la cetosis reduciendo la ingesta de carbohidratos para que el cuerpo queme la grasa para usarla como combustible.

¿Cómo llegar a un estado de cetosis?

Hay varios pasos que pueden ayudarte a aumentar el nivel de cetosis.

1. Restringir la ingesta de carbohidratos.

Puedes limitar los carbohidratos que consumes todos los días a unos 20 gramos. Puedes usar una calculadora en línea para medir la cantidad de carbohidratos que necesitas en cada comida. Si consumes alimentos con carbohidratos ricos en fibra, calcula los carbohidratos netos que debes consumir cada día.

2. Comer suficiente grasa

Una dieta cetogénica requiere que comas una dieta alta en grasas para obtener la energía que tu cuerpo necesita. Por lo tanto, consumir alimentos con suficientes grasas naturales te hará sentir satisfecho. Las cetonas producidas a partir de las grasas te hacen sentir lleno durante mucho tiempo. Si tienes hambre con frecuencia, verifica tus niveles de macronutrientes para asegurarte de que estás comiendo suficientes proteínas en cada comida. Si ese es el caso, puedes aumentar los productos grasos saludables en tus comidas como aceite de oliva o mantequilla.

3. Come proteínas moderadas

Evita comer muchas proteínas. Si tienes una masa corporal magra de 70 kilogramos, debes comer alrededor de 100 gramos de proteína todos los días.

Las proteínas son muy esenciales para la construcción de músculos. Hay mucha preocupación sobre el impacto de las proteínas en los niveles de cetonas. Comer una cantidad inadecuada de proteínas durante largos períodos de tiempo provocará la pérdida de masa ósea y muscular.

Las proteínas se descomponen en aminoácidos necesarios para liberar insulina. Se usa una pequeña cantidad de insulina para transportar los aminoácidos a los músculos. Cuando consumes grandes cantidades de proteínas, aumentará la producción de insulina, lo que en cierta medida disminuye la producción de cetonas.

Por lo tanto, si estás utilizando una dieta cetogénica para tratar la epilepsia, debes restringir el nivel de proteínas y carbohidratos que tomas. Esto asegura que tengas altos niveles de cetonas en todo momento. Aunque esto depende de cada individuo. Algunas personas experimentan una reducción de las cetonas cuando comen más de las cantidades recomendadas de proteína, mientras que otras no experimentan ningún cambio.

4. Evita los bocadillos

Evita comer bocadillos cuando no tengas hambre. No comas porque tienes comida ya que comer con frecuencia reducirá el nivel de cetosis y también puedes ralentizar la pérdida de peso. Ajusta tus comidas de manera que no necesites bocadillos entre comidas.

5. Haz ayuno intermitente cuando creas necesario

Puedes decidir omitir algunas comidas, como el desayuno y comer solo 8 horas en un día y ayunar durante 16 horas.

El ayuno intermitente aumenta los niveles de cetonas y acelera el proceso de pérdida de peso. También aumenta la resistencia a la insulina.

6. Agrega ejercicio físico

Combinar tu dieta cetogénica con algunos ejercicios físicos puede ayudar a aumentar los niveles de cetonas, aunque a una velocidad moderada. También ayuda a mejorar la condición de las personas con diabetes tipo 2.

7. Duerme lo suficiente y reduce el estrés

Trata de controlar tu estrés y asegúrate de dormir un mínimo de 7 horas. El sueño inadecuado desencadena la hormona del estrés que conduce a un aumento del nivel de azúcar en sangre. Como resultado, ralentizarás el proceso de cetosis y la pérdida de peso.

Señales de que has alcanzado la cetosis

1. Sequedad de boca y sed

Si no bebes suficiente agua y tomas algunos electrolitos, sentirás sed y tendrás la boca seca. Tu boca también tendrá un sabor metálico.

2. Poco apetito

La dieta cetogénica reduce el apetito para que no sientas hambre con frecuencia. Esto hace más fácil comer dos veces al día y realizar ayunos intermitentes.

3. Altos niveles de energía

Algunas personas han incrementado sus niveles de energía después de unos días de experimentar la gripe cetogénica. La cetosis aumenta tu concentración mental y puede hacer que pienses con mayor claridad.

4. Aliento cetogénico

Durante la cetosis, tu cuerpo produce acetona que hace que tu aliento huela a frutas o a sudor cuando haces ejercicio. Puedes medir tu aliento con un analizador de cetonas en el aliento.

5. Aumento de la micción

Al comenzar con una dieta cetogénica, es posible que sientas una necesidad frecuente de ir al baño. Este es el resultado del cuerpo cetónico de acetoacetato que se libera a través de la orina. Orinar con más frecuencia te da más sed. Puedes usar tiras de orina para medir tus cambios en la orina.

Llegar a la Cetosis Óptima

La dieta cetogénica te permite alcanzar diferentes grados de cetosis. El grado de cetosis óptimo depende de tus objetivos. Por ejemplo, si deseas tratar las convulsiones mediante la cetosis, necesitas una dieta que logre niveles altos de cetonas.

La cetosis óptima es un estado en el que el cuerpo se vuelve más eficiente en el uso de grasas como combustible. A medida que el cuerpo utiliza de manera eficiente los suministros de grasa, te sentirás mucho mejor y experimentarás todos los beneficios de una dieta cetogénica.

Si quieres estar seguro de que tu cuerpo está en un estado óptimo, puedes medir tus niveles de cetonas. Los niveles de cetonas se miden en milimoles por litro (mmol / L). El mejor momento para realizar la prueba es por la mañana antes de tomar el desayuno o en el ayuno intermitente.

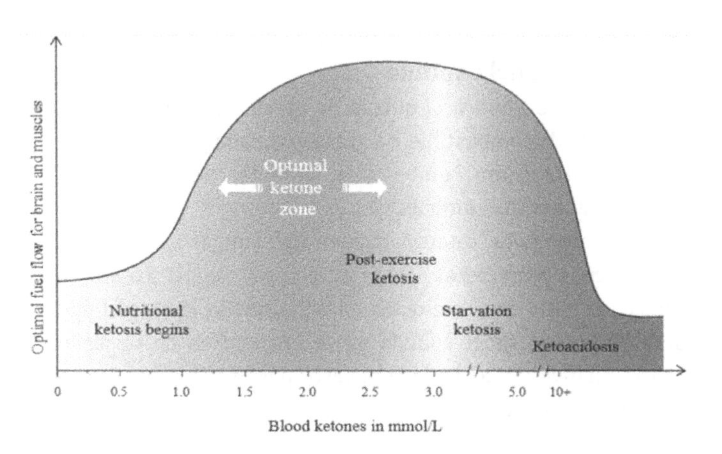

Los rangos óptimos incluyen;

· **Menor a 0.5 mmol/L:** Si los niveles de cetonas están por debajo de 0.5, entonces no has alcanzado los niveles de cetosis, así que revisa tu dieta para ver qué puedes ajustar.

· **0.5 a 1.5 mmol/L:** Esto marca el comienzo del estado de cetosis. Tu cuerpo recibe combustible de las cetonas producidas después de quemar los suministros de grasa. Puedes experimentar pérdida de peso durante este rango y depende principalmente de las calorías que ingieras.

· **1.3 a 3 mmol/L:** Este es el rango para un estado de cetosis óptimo. Experimentarás una pérdida de peso notable en este rango y experimentarás los otros beneficios de la cetosis, como altos niveles de energía y alta capacidad de concentración mental, entre otros beneficios.

· **Mayor a 3 mmol/L:** En este rango, los beneficios de la cetosis no tienen ningún aumento significativo. Si tienes una lectura alta, entonces tienes un déficit calórico severo. Por ejemplo, si tienes diabetes tipo 1, tener un índice más alto indica falta de insulina y debe ser tratado.

Resumen del Capítulo

La cetosis implica la quema de grasa corporal para utilizarla como fuente de combustible. La grasa quemada produce cetonas que el cuerpo usa como combustible en lugar de depender de los carbohidratos como combustible.

Los niveles de cetonas pueden determinar qué tan rápido o lento puedes alcanzar el estado de cetosis. Seguir los siete pasos explicados anteriormente te ayudará a alcanzar la cetosis óptima y también podrás saber cuándo ya te encuentras en un estado de cetosis. La incorporación de esos pasos puede ayudarte no solo en tu viaje de pérdida de peso, sino también a sentirte mejor, entre otros beneficios.

También puedes probar el rango de tu cetosis óptima para conocer tu estado. Algunos de los métodos utilizados para las pruebas incluyen varillas de prueba de orina, analizador de aliento y pruebas de cetonas en sangre. Estos métodos de prueba podrán indicar tu rango de cetosis óptimo.

En el próximo capítulo, aprenderás si ceto es una buena opción para ti.

Capítulo Seis: ¿Es la dieta cetogénica una buena opción para ti?

Hay muchas historias de éxito con la dieta ceto y, a veces, puedes pensar que es la mejor opción para ti, pero estas dietas no aplican a todos. El hecho de que haya funcionado para otra persona no significa que sea la mejor opción para ti.

Por lo tanto, para saber si la dieta cetogénica es buena para ti, debes controlar los resultados. Los cambios dietéticos deben ser saludables y efectivos.

Maneras de saber si la dieta cetogénica está funcionando

Para saber si el programa dietario es eficaz, debes controlar;

1. Cómo te sientes

Una vez que hayas comenzado tu plan dietario, presta mucha atención a cómo te sientes. ¿Te sientes mucho mejor de lo que estabas antes de comenzar la dieta? ¿Te sientes cansado y deprimido casi todo el día? ¿Tienes problemas para adaptarte al nuevo estilo de vida incluso después de un mes de dieta?

Si no te sientes cómodo con cómo te sientes, deberías considerar ajustar la dieta y trabajar con lo que más te convenga.

2. Tu composición corporal

Mucha gente usa la dieta ceto como una forma de quemar el exceso de grasa y perder peso. Puedes usar una báscula para realizar un seguimiento de la cantidad de grasa que estás perdiendo después de 3 a 5 semanas. Si la escala indica un valor reducido, entonces estás en el camino correcto. Por ejemplo, puedes medir cuánta grasa has perdido alrededor de la cintura después de tres semanas de dieta.

Sigue controlando los cambios cada 3 a 5 semanas. Sigue la dieta durante al menos 3 semanas y mide tu progreso. Puedes decidir ajustar la dieta en función de los resultados si es necesario.

3. Revisa tus biomarcadores sanguíneos

A veces, tu pérdida de peso y cómo te sientes después de un mes de la dieta cetogénica no es un reflejo de lo que está sucediendo en tu cuerpo. Controla los cambios de azúcar en sangre, los niveles de triglicéridos y colesterol. Aunque la dieta cetogénica puede mejorar estos biomarcadores, hay casos en los que afecta negativamente a estos biomarcadores.

Si una dieta cetogénica está afectando tus biomarcadores sanguíneos, debes considerar reducir el consumo de grasas y aumentar la ingesta de carbohidratos.

4. Controla tus niveles de cetonas

El estado de cetosis es uno de los métodos que puedes utilizar para saber si estás logrando tus objetivos de dieta cetogénica. Busca los signos que demuestren que ya estás en cetosis. Si no puedes alcanzar tus niveles de cetonas, puedes decidir disminuir tu ingesta de carbohidratos o reducir la ingesta de proteínas.

Resumen del Capítulo

Antes de iniciar cualquier plan de dieta cetogénica, evalúa los beneficios que obtendrás con respecto a tus objetivos de fitness. ¿Tienes alguna condición médica que pueda verse afectada por el plan de dieta? Hacerse algunas de estas preguntas te permitirás evaluar si el plan de dieta es el más adecuado para ti.

También puedes evaluar cómo te sientes después de una semana de dieta y si afecta los niveles de azúcar en sangre y los nutrientes de tu cuerpo.

También deberías poder controlar los niveles de cetonas y cuánto tiempo te llevó entrar en cetosis.

En el próximo capítulo, aprenderás sobre los entrenamientos mientras sigues una dieta cetogénica.

Capítulo Siete: La Dieta Cetogénica y el Ejercicio

Hacer ejercicio es una de las mejores formas de mantener un estilo de vida saludable y complementa la dieta cetogénica. La dieta cetogénica está relacionada con muchos beneficios para la salud que van desde aumentar tu energía, controlar el azúcar en sangre y perder peso.

Sin embargo, hacer ejercicio durante una dieta baja en carbohidratos ha sido un tema de muchas controversias, especialmente si estás deseando ganar masa muscular. Lo que comes durante el plan de dieta también es importante.

La calidad de los alimentos que se ingieran durante un plan de dieta cetogénica y tu capacidad para mantener un estado de cetosis constante serán muy beneficiosos para tu salud.

Agregar ejercicios a tu dieta ayudará a mejorar la salud cardiovascular, aumentará tu salud mental y tendrás masa muscular magra.

Entonces, ¿cómo puede afectar una dieta cetogénica a tus entrenamientos?

1. Mejora tu resistencia

Aunque no puedes realizar actividades de alta intensidad, hacer algunos ejercicios mientras sigues la dieta cetogénica te ayudará a mejorar tu resistencia atlética. Cuando te encuentras en un estado metabólico de cetosis, el cuerpo experimenta una alta resistencia física, ya que depende de la grasa quemada como fuente de energía.

Durante el ejercicio, la quema de grasa ayudará a mejorar el rendimiento y la composición de tu cuerpo.

2. Acelera la recuperación muscular

Agregar algunos suplementos de cetonas a la dieta aumentará los niveles de cetonas en el cuerpo. Como resultado, experimentarás una rápida recuperación muscular después de un ejercicio de resistencia y también reducirás la descomposición de proteínas.

Algunos atletas informan una mejor recuperación e inflamación de los músculos después del ejercicio.

3. Aumenta la quema de grasa

Hacer ejercicio mientras sigues una dieta cetogénica aumentará la velocidad en la que tu cuerpo queme grasas. Algunos estudios indican que realizar diferentes rangos de actividades físicas potenciará el proceso de quema de grasa.

4. Reduce los niveles de energía

Una dieta cetogénica requiere que limites la cantidad de carbohidratos que consumes al día. Los carbohidratos son la principal fuente de energía para el cuerpo y seguir la dieta cetogénica puede reducir tus niveles de energía y afectar el rendimiento de tu entrenamiento. Puedes pasar tiempo antes de que el cuerpo pueda adaptarse a utilizar la energía de la quema de grasas.

La energía que se produce al quemar grasas no es suficiente para un entrenamiento de alta intensidad. El nivel de cetonas en la sangre puede aumentar la fatiga y reducir tu deseo de hacer ejercicio.

5. Crecimiento muscular

Hacer ejercicio mientras estás en la dieta cetogénica es ideal para mantener la masa muscular, pero si tu objetivo principal es maximizar el crecimiento muscular, será difícil de lograr a través de la dieta cetogénica.

Para hacer crecer tus músculos, necesitas comer muchos alimentos con proteínas para desencadenar la síntesis muscular y promover la reparación de los tejidos. Una dieta cetogénica requiere que comas una cantidad moderada de proteínas y, a veces, es posible que no obtengas todos los macronutrientes que necesitas para tener una vida saludable.

Además, la dieta baja en carbohidratos tiene pocas calorías, lo que dificulta la ingesta de proteínas suficientes para desarrollar masa muscular.

Los mejores ejercicios para hacer durante la dieta cetogénica

Una dieta alta en carbohidratos puede ser excelente para los corredores, la natación y el salto de cuerda. La dieta cetogénica baja en carbohidratos no es adecuada para estos entrenamientos intensos. En cambio, debes incorporar entrenamientos de baja intensidad para complementar tu dieta.

Algunos de los entrenamientos de baja intensidad incluyen;

· Yoga

· Trotar

· Ciclismo

También puedes incluir otros entrenamientos físicos de baja intensidad que te encanten y hacerlos parte de tu rutina diaria.

Si eliges un entrenamiento de alta intensidad, es posible que te resulte difícil realizar el entrenamiento cuando estés en una dieta cetogénica.

Resumen del Capítulo

El entrenamiento durante una dieta cetogénica se asocia con una mayor resistencia, recuperación muscular y quema de grasas. Se están realizando más investigaciones para determinar más beneficios de este tipo de dieta.

Algunos de los mejores entrenamientos para quienes siguen la dieta cetogénica incluyen trotar, andar en bicicleta, remar y hacer yoga. Realizar cualquiera de estas actividades físicas será muy fácil para ti y maximizará los beneficios potenciales de una dieta cetogénica.

Por otro lado, las bajas calorías de la dieta pueden reducir los niveles de energía, especialmente al comenzar. Tampoco tienes suficientes proteínas que son necesarias para el crecimiento muscular.

En el próximo capítulo, aprenderás sobre la dieta cetogénica para veganos.

Capítulo Ocho: Dieta Cetogénica para Veganos

La dieta cetogénica ha promovido el consumo de proteínas bajas en carbohidratos, proteínas moderadas y una dieta alta en grasas, dejando a algunas personas preguntándose si es posible seguir una dieta cetogénica para veganos.

Sí, puedes seguir una dieta cetogénica vegana. Llevar una dieta vegana alta en carbohidratos o una dieta cetogénica estándar puede hacer que te sientas mucho mejor. También puedes combinar los dos para obtener los mejores micronutrientes.

Una dieta vegana incluye comidas a base de plantas en lugar de productos de origen animal, por lo que es difícil depender de una dieta baja en carbohidratos. Sin embargo, si se implementan los planes adecuados, los veganos pueden beneficiarse de una dieta cetogénica.

Aunque la dieta cetogénica vegana es muy restrictiva y desafiante, puedes salir adelante. Para seguir con éxito la dieta, debes:

· Reducir la ingesta de carbohidratos hasta 35 gramos o menos cada día

· Comer muchas verduras bajas en carbohidratos

· Eliminar de tu dieta todos los productos animales como pescado, productos lácteos, carne y huevos.

· Consumir proteínas de origen vegetal que te aporten aproximadamente el 25% de las calorías

· Consumir muchas grasas vegetales que aportan el 70% de las calorías

· Tomar suplementos de cetonas con los nutrientes que te faltan en los productos a base de plantas como vitaminas, hierro, taurina o zinc.

Los veganos podrán alcanzar el estado de cetosis comiendo alimentos ricos en grasas y productos de origen vegetal como aguacates, aceite de coco, nueces y semillas.

Beneficios de una dieta cetogénica vegana

Hay muchos beneficios para la salud asociados con una dieta cetogénica vegana. La dieta puede reducir el riesgo de enfermedades crónicas como ciertos tipos de cáncer, diabetes y problemas cardíacos. Una dieta vegana puede reducir la presión arterial alta en un 75% y la diabetes en aproximadamente un 78%.

Si sigues una dieta cetogénica vegana, es más probable que reduzcas más peso que una persona no vegana en la dieta cetogénica.

La dieta cetogénica simple es muy saludable por factores como la pérdida de peso, la reducción de la inflamación y la reducción del riesgo de obesidad, entre otros beneficios. Una dieta cetogénica vegana proporciona los mismos beneficios y tendrá un alto impacto positivo en u salud.

Alimentos a evitar

Cuando sigas una dieta cetogénica vegana, debes reducir el consumo de carbohidratos y reemplazarlos con fuentes altas en grasas y proteínas. Debes evitar los alimentos que consistan en;

· Productos lácteos como yogur, leche y mantequilla.

· Productos cárnicos y avícolas: estos incluyen carne de pollo, ternera

· Mariscos como pescado, almejas y camarones.

· Productos de origen animal: Miel, clara de huevo y proteínas de suero

Alimentos que sí hay que consumir

· Productos alimenticios de coco como crema de coco y leche de coco entera.

· Frutos secos y semillas como nueces, semillas de chía, pipas de calabaza, almendras, nueces de macadamia, etc.

· Aceites como aceite de oliva, aceite de coco, aceite de aguacate.

· Aguacates como guacamole y un aguacate entero.

· Verduras sin almidón como coles de Bruselas, champiñones, coliflor, brócoli, verduras de hoja verde, pimienta.

· Fuentes de proteínas como tempeh y tofu con toda la grasa

· Productos lácteos veganos enteros como yogur de coco, queso de anacardo, mantequilla vegana y queso crema vegano.

· Bayas como arándanos, moras, fresas y frambuesas.

La restricción en la ingesta de carbohidratos al seguir una dieta cetogénica vegana depende de tus objetivos y necesidades específicas.

La investigación realizada en participantes que siguen una dieta cetogénica vegana baja en carbohidratos indica una pérdida de peso significativa para los participantes. También conduce a la reducción de los niveles de colesterol y triglicéridos.

La dieta vegana baja en carbohidratos pudo reducir el riesgo de diabetes, afecciones cardíacas y ciertos tipos de cáncer. Según el estudio, la reducción del riesgo fue mayor en los hombres que en las mujeres.

Si sigues una dieta vegana, tu índice de masa corporal (IMC) va a tender a ser más bajo que el de los no veganos. Cuando comes productos de origen animal, el IMC aumenta.

A medida que envejeces, los veganos tienden a ganar menos peso en comparación con los no veganos. También experimentan una rápida pérdida de peso cuando siguen una dieta cetogénica.

El riesgo asociado con la dieta cetogénica vegana

Al planificar una dieta cetogénica vegana, debes tener más cuidado ya que la dieta es muy restrictiva que la dieta cetogénica normal. Puedes correr algún riesgo al seguir este tipo de dieta.

Hay personas que no pueden mantener el consumo de una dieta baja en carbohidratos durante mucho tiempo y pueden tener complicaciones de salud como;

· Cálculos renales

· Presión arterial baja

· Mucho estreñimiento debido a comer poca o ninguna fibra

· Aumento en el riesgo de enfermedad cardíaca debido a la ingesta de grasas saturadas.

· Deficiencia de nutrientes

Los veganos que tienen ciertas condiciones de salud, embarazadas o en período de lactancia no deben seguir una dieta cetogénica. Por ejemplo, si tienes problemas hepáticos, problemas de vesícula biliar, problemas de tiroides, diabetes y tienes antecedentes de trastornos alimentarios, la dieta cetogénica puede empeorar la afección.

Por lo tanto, la planificación adecuada de una dieta cetogénica es muy esencial para que puedas disfrutar de todos los beneficios para la salud de la dieta cetogénica.

Resumen del Capítulo

Una dieta cetogénica vegana se enfoca en productos alimenticios no procesados, consumir productos de origen vegetal y productos integrales. El plan de dieta vegana ofrece muchos beneficios para la salud, incluida la pérdida de peso y la reducción del riesgo de enfermedades cardíacas.

Al planificar una comida vegana, debes tener mucho cuidado de asegurarte de que no te falten ciertos nutrientes en la dieta, como el hierro o la vitamina B12 y D.

Aunque algunas investigaciones indican que una dieta cetogénica vegana es excelente para un estilo de vida saludable, existen ciertos riesgos que debes evaluar antes de seguir la dieta. Si tienes ciertas condiciones médicas, siempre consulta con tu médico.

En el próximo capítulo, aprenderás los mitos cetogénicos.

Capítulo Nueve: Mitos Cetogénicos

Probablemente hayas oído hablar de la dieta cetogénica y, si aún no la has probado, te preguntas si funciona. Hay muchos conceptos erróneos y mitos sobre la dieta cetogénica y, si les prestas atención, es posible que te resulte difícil seguir la dieta.

1. Tu cuerpo entrará en cetoacidosis

Cuando sigues una dieta cetogénica, tu cuerpo entra en cetosis, que es un estado metabólico en el que el cuerpo quema grasa para usarla como combustible / energía. La grasa se descompone en cetonas. Esto es diferente de la cetoacidosis diabética potencialmente mortal que ocurre cuando el cuerpo no recibe suficiente insulina.

2. Puedes entrar y salir de la dieta cetogénica y aún así perder peso

Hay personas que siguen la dieta uno o dos días y cambian a los carbohidratos al día siguiente. Entrar y salir del plan de dieta no te proporcionará ningún beneficio y no podrás tener los beneficios de la cetosis.

3. La dieta cetogénica causa hipoglucemia o reduce el nivel de azúcar en la sangre

Esto es solo un mito, no se han reportado casos en los que los pacientes experimentaron síntomas de hipoglucemia mientras estaban en una dieta cetogénica.

4. Deberías comer los mismos niveles de carbohidratos que todos

Todos tenemos diferentes necesidades de carbohidratos y, al comenzar una dieta cetogénica, la mayoría de las personas consumen entre 20 y 50 gramos de carbohidratos. Por lo tanto, debes evaluar tus necesidades diarias de carbohidratos, especialmente si realizas alguna actividad física, puedes aumentar los carbohidratos en lugar de consumir los 20 gramos de carbohidratos recomendados al día.

5. No puedes comer frutas y verduras porque tienen un alto contenido de carbohidratos.

Las frutas y verduras son las principales fuentes de carbohidratos, por lo que no debes evitar comerlas, aunque hay algunas verduras y frutas que debes evitar. Debes comer verduras como coliflor, brócoli, calabacín, pimientos, pepino y frutas como fresas, arándanos y frambuesas.

6. La dieta es rica en grasas, por lo que no puedes perder peso.

Esto no es cierto, las grasas altas se descomponen en cetonas que actúan como fuente de combustible para el cuerpo. La quema de grasa contribuye a la pérdida de peso. La dieta baja en carbohidratos actúa como complemento de la nutrición que necesita el organismo.

7. Una mayor ingesta de proteínas afecta al hígado y al riñón

Muchos estudios muestran que una dieta cetogénica mejora la condición del hígado y reduce el riesgo de enfermedad del hígado graso. La ingesta elevada de proteínas no tiene ningún efecto sobre un riñón sano. Sin embargo, si tienes problemas renales, no hay suficiente investigación para demostrar si la proteína alta o baja tiene algún efecto sobre la proteína.

8. La dieta cetogénica solo sirve para bajar de peso

La dieta cetogénica tiene muchos beneficios además de la pérdida de peso. Puede ayudarte a regular tus niveles de azúcar en sangre, mejorar la salud digestiva, reducir el riesgo de ciertas enfermedades como enfermedades cardíacas, diabetes tipo 2 y ciertos tipos de cáncer.

9. Debe hacer ayuno intermitente durante la dieta cetogénica

El ayuno intermitente no es obligatorio durante tu plan de dieta cetogénica. Solo se recomienda acelerar el estado metabólico para acelerar la pérdida de peso y el proceso de desintoxicación.

Por lo tanto, el ayuno intermitente no es un requisito para que entres en un estado de cetosis.

10. Las calorías no importan

Las calorías importan mucho y son particularmente esenciales para las mujeres en la pérdida de peso. Cuando ingieres más calorías de las que tu cuerpo puede quemar, será difícil perder peso.

Resumen del Capítulo

Muchas personas temen adoptar el estilo de vida de la dieta cetogénica debido a varios malentendidos y mitos que rodean la dieta ceto. A medida que la dieta cetogénica continúe volviéndose popular, habrá más conceptos erróneos sobre la dieta.

Algunos de estos conceptos erróneos no son ciertos. No temas en seguir la dieta, cada necesidad individual es diferente y lo que funciona para una persona no necesariamente funciona para otra.

Por lo tanto, conocer tus necesidades y objetivos dietéticos te ayudarás a elaborar un plan adecuado de dieta cetogénica. No tiene por qué ser difícil, simplemente opta por lo que funcione para tu cuerpo y experimenta los diversos beneficios de entrar en un estado de cetosis.

Si tienes algún malentendido con alguno de los mitos que has escuchado, simplemente investiga el mismo y podrás tomar las decisiones correctas.

En el último capítulo, aprenderás algunos de los superalimentos cetogénicos que puedes agregar a tu dieta.

Capítulor Diez: Superalimentos Cetogénicos

Superalimento es un término que los entusiastas del fitness y otros profesionales de la salud utilizan recientemente. Los superalimentos como su nombre lo indica, son opciones de alimentos ricos en nutrientes que tienen un gran impacto en tu salud.

Los superalimentos tienen un solo ingrediente repleto de minerales y vitaminas que ayudan a brindarte salud y permiten el funcionamiento óptimo del cuerpo. Los alimentos ricos en nutrientes mejoran nuestro sistema inmunológico, evitando enfermedades y protegiéndonos de cualquier infección bacteriana, además de mantener nuestro cuerpo con energía.

Comer una variedad de estos nutrientes hará que tu cuerpo sea muy fuerte. Los superalimentos están llenos de micronutrientes y macronutrientes.

Micronutrientes

Los micronutrientes en los superalimentos consisten en productos alimenticios ricos en enzimas, vitaminas, minerales y antioxidantes. Por ejemplo, los productos alimenticios ricos en vitamina A son excelentes para una piel y una visión saludables

Otros micronutrientes juegan un papel importante en el correcto funcionamiento de tu cuerpo.

Macronutrientes

Todos los productos alimenticios consumidos por humanos deben tener tres macronutrientes: carbohidratos, proteínas y grasas.

Los diferentes tipos de superalimentos tienen diferentes niveles de macronutrientes. Por ejemplo, la col rizada, el aceite de oliva y el salmón son superalimentos cetogénicos. La col rizada ofrece carbohidratos, mientras que el salmón es rico en ácidos grasos omega 3 y el aceite de oliva tiene muchas grasas. Los tres se conocen como superalimentos porque contienen micronutrientes: vitaminas, minerales y antioxidantes.

Los mejores superalimentos para adoptar en tu dieta cetogénica

1. Verduras de hoja verde oscuro

Las hojas de color verde oscuro bajas en carbohidratos consisten en col rizada, lechuga, espinaca y acelga. Los productos de hojas contienen una gran cantidad de micronutrientes como calcio, zinc, vitamina C y K, hierro y fibra.

Estos micronutrientes son agentes que combaten el cáncer y son altamente antiinflamatorios.

2. Bayas

Los diferentes tipos de bayas contienen todos los micronutrientes y pueden ayudarte a reducir la inflamación y disminuir el riesgo de enfermedades cardíacas. Las bayas también pueden tratar infecciones del tracto digestivo y otros problemas relacionados con el sistema inmunológico. Algunas de las bayas, como el arándano, deben consumirse con moderación. Otros tipos de bayas incluyen frambuesas y moras.

3. Huevos

Los huevos son ricos en vitamina A y B, hierro, selenio, fósforo y colina. Tienen muchas proteínas y son baratos.

4. Aceite de oliva extra virgen

Este contiene ácidos grasos insaturados repletos de antioxidantes, polifenoles y flavonoides minerales que previenen el crecimiento de ciertas enfermedades.

El aceite de oliva tiene un alto contenido de grasas monoinsaturadas, lo que se considera una grasa saludable y es bueno para reducir la inflamación en el cuerpo.

5. Salmón

Este es un alimento rico en proteínas que actúa como una excelente fuente de minerales como potasio, fósforo y vitamina B6 y B12. El salmón es bueno para reducir el riesgo de diabetes y problemas cardíacos. También ayuda a desarrollar músculos y a mantener un peso saludable.

6. Coco

El coco es ideal para una dieta cetogénica que incluye aceite de coco, leche, mantequilla y ralladuras. Ayuda a promover la pérdida de peso, reducir la cintura y promover los niveles de azúcar en sangre. El aceite de coco tiene muchos componentes antimicrobianos esenciales para una vida saludable.

7. Aguacates

Los aguacates son una buena fuente de fibra, minerales y algunas vitaminas. Es uno de los superalimentos que ofrece grasas saludables y sus nutrientes promueven la buena salud.

8. Coliflor

El coliflor tiene un compuesto que combate el cáncer llamado glucosinolatos. Tiene altas concentraciones de vitamina A, calcio, selenio, ácido fólico y potasio. También tiene antioxidantes para estimular tu sistema inmunológico.

Otros tipos de superalimentos incluyen brócoli, espinacas, champiñones, calabacín, espárragos, semillas de lino y nueces, entre otros. Estos productos son ricos en antioxidantes y bajos en calorías, lo que los hace ideales para perder peso.

Resumen del Capítulo

Hay muchos superalimentos con varios micronutrientes para estimular tu sistema inmunológico y ayudar a combatir ciertas enfermedades. Puede sincluir algunos de los superalimentos enumerados anteriormente en tu dieta y disfrutar sus beneficios.

Algunos de ellos tienen compuestos cardioprotectores que ayudan a reducir el riesgo de enfermedades cardíacas y a mantener un estilo de vida saludable.

Palabras Finales

Durante décadas, las personas han consumido muchos alimentos procesados y otras dietas modernas asociadas con enfermedades. La mayoría de estas dietas modernas son de fácil acceso y baratas en comparación con los alimentos naturales tradicionales. Cuanto más consumes estos productos alimenticios, más acceso le das a las enfermedades relacionadas con el estilo de vida.

La mayoría de las personas han adoptado recientemente la dieta cetogénica como una forma de reducir las enfermedades del estilo de vida, reducir el peso y tener una vida saludable. Una dieta cetogénica implica el consumo de alimentos bajos en carbohidratos, proteínas moderadas y altos en grasas.

La dieta baja en carbohidratos pone a tu cuerpo en un estado de cetosis donde tu cuerpo quema grasa como combustible. La quema de grasa corporal (cetonas) reduce la pérdida de peso y también se puede utilizar como forma de tratar diversas enfermedades crónicas como la diabetes tipo 2, enfermedades cardíacas, ciertos tipos de cáncer, artritis, etc.

La dieta cetogénica no es para todos, antes de comenzar este plan de dieta, debes evaluar si es apta para ti. Si ya tienes una afección médica existente, debes consultar con tu médico antes de comenzar con este plan de dieta.

Cuando utilices este plan de dieta, ten en cuenta que lo que funciona para una persona puede no funcionar para ti. Por lo tanto, debes hacer tu propio plan de dieta basado en tus propios objetivos y necesidades corporales. Algunas personas tienen que consumir menos calorías que otras. Tienes que determinar tus propias necesidades calóricas, los macronutrientes que tu cuerpo necesita y luego elaborar tu plan de alimentación. Una vez que tengas tu menú, puedes comenzar tu plan de dieta cetogénica. Controla cómo se siente tu cuerpo después de una o dos semanas de dieta.

¿Puedes alcanzar la cetosis con tu plan actual? De lo contrario, puedes ajustar tus comidas. Puedes incluir algunos ejercicios en tu dieta para perder peso rápidamente y mantenerte en forma. Agregar ejercicios durante la cetosis aumenta tu resistencia y también puede contribuir a fortalecer tus propios músculos, entre otros beneficios.

Incluir algunos superalimentos en tu plan de dieta te ayuda a estimular tu sistema inmunológico y permitir que el cuerpo tenga todos los macronutrientes y micronutrientes que necesita para protegerse contra algunas enfermedades crónicas. Los superalimentos son ricos en minerales, vitaminas, fibra y antioxidantes.

Si eres vegano, puedes incluir superalimentos bajos en calorías y productos de origen vegetal en tus comidas para alcanzar la cetosis. Esta guía contiene algunos de los alimentos que debes comer y lo que no debes comer al seguir una dieta cetogénica.

La dieta cetogénica tiene muchos beneficios para la salud y depende de ti probar el plan de dieta. Al leer sobre los planes de dieta, es posible que te encuentres con algunos mitos sobre la dieta cetogénica. Estos son solo mitos y conceptos erróneos y la mayoría de ellos son falsos. Haz tu propia investigación antes de comenzar la dieta y obtén toda la información que necesitas para poder mantener un estilo de vida saludable.

Ayuno Intermitente para Principiantes

¡Descubre los Secretos del Ayuno que muchos hombres y mujeres usan para perder peso de manera efectiva y vivir un estilo de vida saludable! ¡Autofagia, Dieta Ketogénica y Estrategias OMAD incluidas!

Bobby Murray

Introducción

Hay una gran desconexión entre nosotros y la comida que comemos. Vivimos en una sociedad en la que nuestras vidas parecen girar en torno a la comida, y no apreciamos realmente la comida que comemos a diario. Debido a esto, damos por sentado la comida, y los beneficios que realmente puede aportar a nuestras vidas. Debido a nuestra mala relación con la comida y a la falta de respeto por ella, estamos viendo cómo los problemas de salud se disparan en nuestra sociedad. Los índices de obesidad son los más altos que la Encuesta Nacional de Examen de Salud y Nutrición ha reportado: casi el 40% de los adultos y el 18% de los niños son obesos. Las enfermedades cardiovasculares siguen siendo la principal causa de muerte en todo el mundo.

Cualquiera que sea tu caso personal, siempre hay esperanza. Cada día, puedes tomar decisiones sobre todo lo que haces. Puedes trabajar para cambiarlo. Hay muchos beneficios que podemos obtener al seguir métodos de ayuno intermitente. A través de este libro, te darás cuenta de las posibilidades que pueden surgir del ayuno. Es un tema complejo, pero puede ser simple para las personas que están decididas a aprender y entenderlo. Millones de personas han visto resultados reales y a largo plazo manteniendo el peso.

¿Por qué? Porque han cambiado su relación con la comida. Ya no es necesario que se aburran o tengan un día difícil. La comida ya no es algo que se celebra y a lo que se dan el gusto. Ya no son esclavos de sus adicciones, y sobre todo, aman cómo se ven y sienten después de haber alcanzado sus metas personales de peso. Ahora respetan la comida y el alimento que puede dar a sus cuerpos, y se aman a sí mismos lo suficiente como para mejorar sus vidas.

No siempre será un proceso fácil, pero ¿realmente vale la pena hacerlo si tan solo te lo dan? Sus objetivos tendrán que ser sólidos en su mente para recordarles la increíble recompensa por la que están trabajando, y tendrán que mantenerse fuertes y comprometidos para alcanzar esos objetivos. Pronto entenderás los métodos y podrás empezar a cambiar tu vida y tu relación con la comida para siempre.

Has dado el primer paso para cambiar tu vida a través del ayuno intermitente con sólo comprar este libro, y hacerlo demuestra que tu iniciativa es fuerte. Es una promesa de que una vez que entiendas los mecanismos y la prueba detrás del ayuno intermitente, verás cambios físicos reales en ti mismo. Por lo general, la gente notará cambios importantes en las primeras semanas. Para otros, puede tomar un poco más de tiempo. Sin embargo, si te apegas a ello, verás los resultados positivos del ayuno intermitente.

No hay nada que esperar. Tú tienes el poder de cambiar tu vida a partir de hoy, y comenzarás a ver el mundo bajo una nueva luz cuando tengas éxito con el programa y los métodos del ayuno intermitente. Aprenderás a incorporar todos los aspectos de este estilo de vida en tu vida, y notarás los impactantes cambios que ocurren en tu vida como resultado.

Capítulo Uno: Ayuno Intermitente – Lisa y Llanamente

Con el ayuno intermitente, existe mucha confusión y mitos en torno a lo que implica. La base del ayuno intermitente es cambiar de un lado a otro entre comer y ayunar. Una ventana para comer es cuando un individuo puede comer una cantidad normal de comida durante un cierto período de tiempo. No hay reglas rígidas en la dieta, ya que el ayuno intermitente tiene más que ver con las horas en que un individuo come. Debido a esto, el ayuno intermitente es más como un patrón de alimentación en lugar de una dieta. Una vez que puedas seguir el concepto de ayuno intermitente, estarás en la vía rápida hacia una pérdida de peso saludable y una salud general.

Aunque no existe un protocolo escrito para los alimentos que debes comer durante el ayuno intermitente, es mejor elegir alimentos integrales y nutritivos para incluirlos en tu dieta. Esto se debe a que tu cuerpo va a necesitar sostenerse mientras no estés comiendo, y si comes comida chatarra y calorías vacías, le va a resultar difícil adherirse a tus ventanas de alimentación. También puedes elegir comer una dieta específica como vegana, vegetariana o Keto mientras practicas el ayuno intermitente.

Desafortunadamente, los profesionales médicos no recomiendan el ayuno intermitente para todos. Quienes deben abstenerse de seguir cualquier método de ayuno intermitente son aquellos que tienen antecedentes de trastornos alimentarios o aquellos que ya están por debajo de su peso. Si tú perteneces a alguna de estas categorías, consulta con tu profesional de la salud antes de decidir comenzar con los métodos de ayuno intermitente.

Para aquellos con los siguientes problemas médicos, consulten con su médico antes de considerar comenzar con los métodos de ayuno intermitente:

- Antecedentes de amenorrea
- Tratando de concebir
- Tomando medicamentos

★ Baja presión sanguínea
★ Problemas con la regulación del azúcar en la sangre
★ Diabetes

Incluso si cumples con alguna de estas condiciones, no significa que no puedas incorporar el ayuno intermitente en tu vida, pero hay precauciones que tu profesional de la salud deberá controlar. Ponte en contacto con tu profesional médico o dietista para ver si puede incorporar de forma segura el ayuno intermitente en tu vida hoy para que puedas alcanzar tus objetivos de salud.

Resumen del capítulo

- Al integrar el programa de ayuno intermitente en tu vida, vas a comer durante períodos de tiempo determinados mientras que te abstendrás de comer durante el resto del tiempo.
- No hay alimentos específicos que debas comer o evitar, pero se aconseja llevar una dieta sana y equilibrada para que puedas obtener el máximo beneficio de este estilo de vida.
- No se recomienda a las personas que han sufrido o están sufriendo algún trastorno alimentario o que ya están experimentando problemas de peso insuficiente que sigan métodos de ayuno intermitente.

En el siguiente capítulo, aprenderás sobre diferentes estudios médicos que prueban la base científica del programa de ayuno intermitente.

Capítulo Dos: Estudios que demuestran la eficacia del Ayuno Intermitente

Hay varios estudios interesantes sobre las condiciones de salud, y el beneficio más conocido del ayuno intermitente es que se puede perder peso. La gente ha demostrado este hecho una y otra vez. Una revisión sistemática de cuarenta estudios diferentes, muestra que el ayuno intermitente redujo el peso corporal de los participantes (Varady, 2011).

Pero los beneficios no se limitan a la pérdida de peso. Causa un efecto dominó con otras dolencias que se pueden experimentar dentro del cuerpo a nivel físico, afectando también a la psique.

Un estudio realizado por investigadores de la Universidad de Alabama utilizó un pequeño grupo de prueba de hombres obesos a los que se les diagnosticó prediabetes. Los investigadores los pusieron en un régimen de alimentación con tiempo restringido. Dividieron a los hombres en dos grupos:

Grupo 1: Comer entre las horas de 7am y 3pm.

Grupo 2: Comer entre las horas de 7am y 7pm.

Durante las primeras cuatro semanas, no hubo pérdida ni aumento de peso. Sin embargo, durante la quinta semana, el Grupo 1 había bajado sus niveles de insulina en una cantidad significativa y mejoró dramáticamente su sensibilidad a la insulina. También observaron un descenso significativo de su presión arterial (Sutton, et al., 2018).

En un nuevo examen del estudio de la diabetes y los efectos del ayuno intermitente se llegó a la conclusión de que el ayuno puede reducir los niveles de insulina y la glucosa en la sangre en las personas con riesgo de padecer diabetes. Los investigadores llegaron a la conclusión de que era el resultado de la pérdida de peso que reducía el riesgo general de diabetes (Barnosky, Hoddy, Unterman, & Varady, 2014).

Algunos estudios en animales realizados en ratas también han demostrado ser positivos para el ayuno intermitente. En un estudio, los investigadores colocaron a un grupo de ratones en una dieta de ayuno intermitente, mientras que los investigadores permitieron que el otro grupo tuviera acceso libre a los alimentos. Los resultados mostraron que los ratones en ayunos intermitentes salieron con mejor memoria y capacidad de aprendizaje que los ratones de libre acceso (Li, Wang y Zuo, 2013). En otro estudio, se observó una supresión de la inflamación en el cerebro cuando los investigadores sometieron a los animales a un régimen de ayuno intermitente (Vasconcelos, et al., 2015). Este fue un hallazgo significativo porque la inflamación del cerebro tiene vínculos con varias condiciones neurológicas.

Otros estudios realizados con ratones también mostraron una reducción del riesgo de sufrir un accidente cerebrovascular, la enfermedad de Parkinson y la enfermedad de Alzheimer. Incluso ha habido conclusiones preliminares sobre la reducción del crecimiento de los tumores. Concluyeron que la reducción de peso fue una de las principales razones de este resultado (Mattson, Longo, & Harvie, 2016).

Otro estudio enfocado en el Patrón 16:8 mostró una disminución de la presión sanguínea sistólica en sólo unos pocos meses (Furmli, Elmasry, Ramos, & Fung, 2018).

Como puedes ver, hay evidencia científica que respalda la capacidad del ayuno intermitente no sólo para reducir el peso corporal, sino también para ayudar al cuerpo a convertirse en una máquina de lucha contra algunas de las enfermedades más frecuentes en la sociedad moderna.

Resumen del capítulo

- Una de las principales razones por las que la gente decide seguir un método de ayuno intermitente es para perder peso. Esto es efectivo cuando se sigue una dieta nutritiva y se realiza una rutina diaria de ejercicios.
- Las personas que sufren de prediabetes han demostrado en muchos estudios de investigación que se benefician

reducing sus niveles de insulina y la glucosa de la sangre en su torrente sanguíneo.

- También se ha demostrado la mejora de la salud cerebral en relación con la enfermedad de Alzheimer y la de Parkinson. También se ha llegado a la conclusión de que se reduce el riesgo de sufrir un accidente cerebrovascular.

En el próximo capítulo, aprenderás los beneficios que puedes lograr mientras sigues el programa de ayuno intermitente.

Capítulo Tres: Beneficios del Ayuno Intermitente

Hay muchos beneficios que se pueden apreciar cuando se sigue con un ayuno intermitente. Cuando empiezas tu viaje de ayuno intermitente, puede ser un desafío. El objetivo final es la pérdida de peso, pero hay muchos beneficios que las personas logran al usar los métodos de ayuno intermitente. Puedes experimentar:

★ Mayor conciencia y lucidez
★ Reducir el colesterol, la presión sanguínea y los riesgos de derrame cerebral y enfermedades cardíacas
★ Ser capaz de controlar tu hambre
★ Reducir la necesidad de medicamentos para la diabetes
★ Reducir la posibilidad de trastornos neurológicos como el Alzheimer y el Parkinson.
★ Mejorar tu memoria y tu capacidad de aprendizaje

También hay varias otras maneras de mejorar tu salud mientras se aplica el protocolo de ayuno intermitente. Otro beneficio es cómo puede ayudar a los que sufren de diabetes, ya que puede mejorar la sensibilidad a la insulina en la sangre. Cuando esto sucede, el cuerpo está en la capacidad óptima para quemar grasa. Otro aspecto útil para los pacientes de diabetes es que el ayuno intermitente también ayuda a reducir la resistencia a la insulina. En el proceso, reduce los niveles de azúcar en la sangre y también el riesgo de un individuo para la diabetes de tipo 2.

El ayuno intermitente también puede aumentar el volumen de la hormona del crecimiento humano (HGH) presente de forma natural en el torrente sanguíneo. Cuando hay niveles más altos de Hormona de Crecimiento Humano en el cuerpo, un individuo puede quemar grasa mientras que también gana músculo. Esta pérdida de peso se centra en la grasa del vientre de un individuo, pero sigue afectando a todas las grasas depositadas en el cuerpo. A medida que el cuerpo es capaz de quemar grasa, crea energía que continúa un ciclo saludable de bienestar.

Debido a que la sangre se filtra a través de un ayuno intermitente, comenzarás a ver mejoras en tus niveles de presión arterial, en los triglicéridos presentes en la sangre y en tus niveles de colesterol LDL total. El crecimiento de nuevas células nerviosas también te protegerá de los daños en el cerebro.

También tendrás más energía para dedicar a otros aspectos de la vida que no se centran en la comida. Si no piensas en la comida, tienes más espacio para pensar en otros asuntos importantes. Debido a que tu cuerpo está quemando grasa, también estarás más ligero cuando experimentes los aumentos de energía, lo que indica que te estás volviendo más saludable.

Diversos estudios han concluido que, en las ratas, seguir el estilo de vida de ayuno intermitente puede extender la esperanza de vida hasta un 83%. Estos hallazgos son extraordinarios, y esbozan un beneficio importante al seguir el ayuno intermitente (Swindell, 2012). Cuando se combina la restricción calórica con el ayuno, puede aumentar la duración total de la vida de un individuo. Durante el proceso, el envejecimiento también se ralentiza, lo que también ayuda a aumentar la esperanza de vida de un individuo.

Debido a que no se requiere una lista específica de alimentos que se deben comer, se pueden tener menos restricciones con este estilo de vida. El ayuno intermitente también te ahorrará la búsqueda o compra de libros de cocina especializados y tener que aprender nuevas recetas. Como se dijo anteriormente, seguir un ayuno intermitente también te ayudará a compartimentar tu día. El ayuno intermitente hace que tu día sea más fácil de planear y que haya menos interrupciones.

Al no tener que comprar tanta comida, ahorrarás dinero. De hecho, puedes ahorrar más si encuentras artículos en oferta y los congelas o los guardas en la despensa para futuras comidas cuando no estés ayunando. Preparar recetas dobles y calentarlas durante los siguientes días es otra gran estrategia. Cuando no pasas tanto tiempo preparando comidas a lo largo del día, ahorras mucho tiempo valioso.

Resumen del capítulo

- Las funciones cognitivas pueden ser mejoradas para que experimentes una mente más enfocada y concentrada. También puede reducir el riesgo de enfermedades cerebrales como el Alzheimer.
- Los niveles de presión sanguínea pueden ser reducidos así como los niveles de colesterol. Esto también ayuda a que tu sistema cardiovascular sea más fuerte y funcione de manera más eficiente.
- La expectativa de vida puede dispararse mientras tú puedes disfrutar de tu estilo de vida saludable por más tiempo y compartir más experiencias con tus seres queridos.

En el próximo capítulo, aprenderás sobre los diferentes métodos que puedes seguir en un ayuno intermitente y cuántas calorías consumir.

Capítulo Cuatro: Protocolos de Ayuno Intermitente

Existen varios métodos de ayuno intermitente que hacen que sea muy fácil de usar porque puedes elegir el método que mejor se adapte a tu estilo de vida. Dado que este es un libro para principiantes, nos ceñiremos a las cantidades más cortas de tiempo de ayuno. Sin embargo, cuanto más avanzado sea el ayuno intermitente, podrás extender los períodos sin comida de una a dos semanas. Pero no nos adelantemos.

Métodos de Ayuno para Principiantes

Hay varias maneras de elegir qué tipo de ayuno funciona mejor para tu estilo de vida y tus objetivos generales. Decide cuál es el mejor, y dedícate a él durante al menos tres semanas para saber si te funciona o no. Si no funciona, elige otro método con el conocimiento que tengas sobre tu cuerpo después de probar el primer método.

Patrón 16:8

Con este método, se empezaría por saltarse el desayuno cada día y se tendría una ventana para comer de ocho horas; esto podría significar, por ejemplo, que se comería entre el mediodía y las ocho de la tarde diariamente. Muchos consideran que el patrón de 16:8 es el método más sostenible y más sencillo de seguir. Este método es el más popular para comenzar con un ayuno intermitente, y también se conoce como el Protocolo de Leangains.

Este es el método preferido de los principiantes porque pueden programar sus horarios de comida de acuerdo a su estilo de vida; sin embargo, querrás mantener ventanas de comida consistentes cada día. También es fácil dividir tu ventana de alimentación de ocho horas en dos comidas, y es ideal para hacer ejercicio de ayuno justo antes de que se rompa la ventana de alimentación. Esta comida debe ser la más grande del día, para reabastecer tu cuerpo en el período de entrenamiento y ayuno.

Al comenzar este método de ayuno, los ayunantes veteranos aconsejan a las mujeres que aumenten el ayuno de 16 horas comenzando con 12 horas el primer día, y luego agregando una hora cada día hasta tener las 16 horas completas de ayuno. Como ejemplo:

Día 1 - ventana de comer de 12 horas y ventana de ayunar de 12 horas

Día 2 - 11 horas de comida y 13 horas de ayuno

Día 3 - ventana de comer 10 horas y ventana de ayuno 14 horas

Día 4 - ventana de comer 9 horas y ventana de ayuno 15 horas

Día 5 - ventana de comer de 8 horas y ventana de ayuno de 16 horas

Después de este punto, habrás trabajado hasta una ventana de ayuno de 16 horas. ¡Sigue trabajando bien!

Patrón 5:2

Este método hace que comas entre 500 y 600 calorías en dos días de la semana y que comas normalmente el resto. Estos dos días no deben ser consecutivos. Este patrón también se conoce como la Dieta Rápida. Durante los dos días de ayuno, se reduce el 75% de la ingesta normal de alimentos.

Patrón 4:3

Este plan implica comer 500 a 600 calorías por día durante tres días de la semana, lo que puede funcionar en días alternos. Puedes beber agua durante tu ayuno de calorías reducidas. Durante los otros cuatro días de la semana, puedes comer una dieta balanceada como lo harías.

Patrón 6:1

Este es un método para las personas que han estado haciendo ayuno intermitente durante al menos un mes. Ayunas durante un día completo mientras comes los otros 6 días de la semana. Esto puede convertirse en un ayuno de mantenimiento una vez que se alcanza el peso ideal.

Ayuno de día alterno

El ayuno del día alterno (ADF) es como suena - comerás como normalmente lo harías durante un día. Luego, al día siguiente, ayunarás completamente durante todo el día; también puedes tener una dieta de 500 a 600 calorías en tu día de ayuno para restringir tu ingesta calórica. Se han obtenido resultados positivos en pacientes cardíacos que han seguido este método de ayuno intermitente durante seis meses. Los usuarios consumen alrededor de un 37 por ciento menos de calorías por semana mientras están en este plan.

Método de comer y dejar de comer

También conocido como el ayuno de 24 horas, tendrías un día completo de ayuno una o dos veces a la semana; pero no quieres tener estos ayunos seguidos en ningún momento de la semana. Puedes hacerlo tantos días de la semana como desees; sin embargo, la cantidad normal que debes hacer es alternar los días, lo cual funcionaría hasta tres veces por semana. Esto puede comenzar en cualquier momento del día que te resulte cómodo. Puedes beber líquidos no calóricos durante este tiempo. Una vez que el ayuno se haya completado, podrás volver a comer. Con este método, consumirías al menos un diez por ciento menos de calorías durante un período de una semana.

Dieta del Guerrero

Es un ayuno de 20 horas con una ventana para comer de cuatro horas. Sin embargo, puedes comer algunas verduras crudas, frutas y proteínas magras junto con agua durante el período de ayuno. Lo ideal es ajustar la ventana de comida a la noche y comer en un orden específico. Empezarías con las verduras y frutas, luego las grasas y las proteínas. Luego terminarías con los carbohidratos si todavía tienes hambre.

Ayuno Periódico

Es un ayuno de 24 horas que no utiliza ningún horario de comida o ayuno. Puedes probar esto cuando sepas que comerás una comida pesada, como una cena de Acción de Gracias o de Navidad. También puedes hacerlo cuando vayas a dar un largo paseo en coche para pasar el tiempo sin pensar en la comida. Esta es una opción para las personas con diabetes, ya que reduce el riesgo de cualquier preocupación por el nivel alto o bajo de azúcar en la sangre.

Ayuno Intermedio

Cuando estés listo para pasar al siguiente nivel con tu ayuno intermitente, puedes probar estos dos métodos de ayuno más largos.

36 Horas

Aquí es donde sólo beberías agua y bebidas no calóricas durante 36 horas, y luego tendrías una ventana para comer de 12 horas. Esta es una forma efectiva de comer 1.900 calorías menos durante un período de una semana.

48 Horas

Este es el período de ayuno más largo que se ha practicado tradicionalmente con ayunos intermitentes, con los dos días de ayuno seguidos. La mejor manera de empezar este método es comenzar el período de ayuno después de la cena del primer día, y luego se puede comer un bocadillo sensato en la noche del tercer día. Alrededor de una o dos horas más tarde, puedes tener una pequeña y equilibrada comida. Se pueden tomar bebidas no calóricas y agua durante el ayuno de dos días; es importante mantenerse hidratado durante esta forma de ayuno porque la deshidratación es el verdadero riesgo con periodos de ayuno más largos. Sólo querrás hacer este método una o dos veces al mes, dejando unas dos semanas entre ellas.

Ayuno Avanzado

Como su nombre lo indica, tendrás que convertirte en un experto después de probar los niveles de principiante e intermedio antes de intentar estos períodos de ayuno más largos.

7 Días

La gente suele hacer este ayuno con fines espirituales. Puede ser difícil, pero puede tener algunos beneficios fantásticos para la salud. No sólo limpiarás tu sistema o cualquier toxina que tenga bebiendo agua y otras bebidas no calóricas, sino que incluso puedes mejorar cualquier síntoma médico que tengas. También puede impulsar tu pérdida de peso, pero no esperes que sea un cambio a largo plazo, ya que las libras probablemente volverán a subir después de que vuelvas a comer. Ganar una mejor relación con tu comida y hacer elecciones de comida más inteligentes puede ayudar.

14 Días

Los más devotos, como los monjes o babas en el Este, practican esta forma de ayuno. Si estás buscando una mejora completa de tu salud, malos hábitos alimenticios o adicciones a la comida, esta opción te ayudará. Puedes beber agua y bebidas sin calorías, pero no comerás ni beberás nada más mientras utilizas esta práctica de ayuno.

Cuando sigues uno de estos métodos durante un período prolongado de tiempo, reducirás tu ingesta calórica general, siempre y cuando no hagas trampas, compensando durante la ventana de alimentación y consumiendo las calorías pérdidas durante el ayuno.

Consumo de calorías

Entonces, ¿cuántas calorías deberías consumir en un día? Esto depende totalmente de la tasa metabólica en reposo del individuo y sus niveles de actividad. La persona promedio quemará unas 1.400 calorías a lo largo del día, lo que incluye actividades como la respiración, las funciones orgánicas y digestivas, y el ejercicio moderado. Como punto de partida, las mujeres no deberían consumir menos de 1.200 calorías, mientras que los hombres deberían consumir un mínimo de 1.500 calorías; sin embargo, teniendo en cuenta que se trata sólo de un punto de partida, cabe señalar que cada persona debería consumir también diferentes cantidades de calorías según su tipo de cuerpo y su nivel de ejercicio. La ingesta calórica de referencia ayuda a garantizar que haya un equilibrio saludable de micronutrientes y nutrientes importantes en la persona.

Como se ha dicho, las directrices básicas creadas por las organizaciones de salud dictan que se debe consumir una dieta de 2.000 calorías diarias si se es mujer y hasta 2.600 calorías diarias si se es hombre. Por supuesto, es posible consumir esta cantidad de calorías sólo con comida basura. Según la ingesta de referencia dietética, querrás consumir entre el 45 y el 65 por ciento de las calorías procedentes de los carbohidratos, entre el 20 y el 25 por ciento de las grasas, y la cantidad restante debe ser de las proteínas. Estas cantidades se calculan para los adultos, ya que los niños requieren una mayor cantidad de grasa que oscila entre el 25 y el 40 por ciento de sus calorías. Se recomienda encarecidamente hacer un seguimiento del número de calorías que se consumen para poder mantenerse en la vía rápida para alcanzar los objetivos personales.

Resumen del capítulo

- El método 16:8 es el más común, pero la mayoría de las personas que nunca antes han ayunado durante largos períodos pueden empezar ayunando durante 12 horas y añadiendo una hora cada día para alcanzar un total de 16 horas de ayuno.
- Si se quiere perder peso, el método de ayuno de un día alterno implica comer normalmente un día y luego comer una dieta de calorías restringidas el segundo día. El tercer día comenzará el ciclo de nuevo.
- Después de trabajar a través de al menos 3 semanas de un método, puedes cambiar el tipo de método que estás utilizando. Esto puede deberse a que te has dado cuenta de tus objetivos y has establecido otros nuevos, o a que el método que estabas siguiendo no funcionaba para ti.

En el siguiente capítulo, aprenderás fantásticos consejos para que tu viaje en ayunos intermitentes sea lo más suave posible.

Capítulo Cinco: Consejos para ayudar a que tu Ayuno Intermitente sea más efectivo

La primera semana es crucial para establecer tus objetivos de ayuno intermitente y para determinar qué método es el adecuado para ti. Tendrás que facilitar el ayuno intermitente para que no le de una descarga a tu sistema o te resulte demasiado difícil y lo dejes poco después de empezar. Cuando elijas tu primer método, deberás continuar durante tres semanas antes de pensar en cambiar a otro método.

Lo ideal sería que dividieras tus ventanas de comida en dos comidas con un refrigerio opcional, ya que así te asegurarás de que tu pérdida de peso sea efectiva durante todo el proceso de ayuno intermitente.

Cuando se decide a hacer algo, se hace una rutina que asegura que se complete. Cuando haces este plan durante un cierto período, alrededor de 28 días, se convierte en un hábito difícil de romper; este hábito se ha convertido en parte de quien tú eres. Deberás hacer una rutina y planear para superar los desafíos que enfrentarás cuando practiques el ayuno intermitente.

Es posible que te cueste beber suficiente agua, así que deberás concentrarte en beber más agua durante la primera semana. Si tienes un problema con los azúcares, tal vez trata de reducir su consumo a la mitad. Haz de tu debilidad tu objetivo durante una semana, y verás lo fácil que es fortalecerse y superarse. No todo tiene que ser un cambio drástico, ya que siempre es mejor para tí hacer lo que te resulte más cómodo personalmente, porque todo este trabajo es para tu propia mejora.

Otra forma de asegurarte de que sigues teniendo éxito con el ayuno intermitente es encontrar algo saludable que te guste comer y usarlo como sistema de recompensa. Estamos acostumbrados a querer una recompensa por un trabajo bien hecho, pero a veces tendemos a exagerar. Así que, ten algo por lo que quieras trabajar, ya sea un bocadillo saludable favorito o un viaje que hayas querido hacer. Necesitas tener varios objetivos para mantenerte motivado porque no todos los días serán fáciles. Pero si mantienes la cabeza en alto y te concentras en el premio final, lo conseguirás.

Cuando se pueden establecer pequeños objetivos y alcanzarlos con coherencia, se desarrollará la confianza de saber que puedes lograr un ayuno intermitente. También serás capaz de motivarte a través de los días más difíciles o a través de lo que puede parecer un ayuno interminable. También puede ayudar el tener un proyecto o actividad que no hayas tenido tiempo de hacer para mantener tu mente ocupada durante las últimas horas de ayuno, cuando tus pensamientos se centran de nuevo en la comida. Tener esa distracción será más saludable a largo plazo.

Si te resulta difícil mantenerte centrado en ti mismo, encontrar un amigo en los medios sociales o en la vida real que pueda animarte durante el proceso es una idea fantástica. Ni siquiera es necesario que sigan un método de ayuno intermitente, siempre y cuando te apoyen a ti y a tus objetivos personales. Esta persona también debería ser alguien con quien se respeten mutuamente y que te diga cómo puedes mejorar si tienes un desliz. Estará a tu lado en los avatares de todo el proceso y te animará cuando cumplas tus objetivos.

Si tienes problemas para concentrarte en por qué durante los momentos difíciles, tómate un momento para sentarte en un lugar tranquilo para calmar tu mente a través de la meditación. No tiene que tomar mucho tiempo de tu día, y puedes hacerlo casi en cualquier lugar. Concéntrate en tu respiración en cómo está fluyendo dentro y fuera de ti. Puedes enfocar tu mente en tu porqué y convertirlo en un mantra, o puedes intentar liberar tu mente de tus pensamientos acelerados. Lo haces reconociendo un pensamiento que entra en tu cabeza y dejándolo ir. No pases ningún tiempo reflexionando sobre ese pensamiento. Continúa el proceso hasta que no tengas más pensamientos acelerados.

Si te cuesta superar un determinado período de ayuno o si tu cuerpo se siente mal por los cambios que se están produciendo, debes saber que nada es permanente. Si te concentras en el panorama general de lo que parece ser tu problema en ese momento, verás que todo va a valer la pena. Una vez que pases los momentos difíciles, sabrás qué hacer manteniendo tu mente en el premio general.

No pienses que eres un pez gordo y empieces una rutina de ayuno intermitente que no puedas manejar. Está bien empezar de cero y fortalecerte, y también está bien si necesitas comer una dieta restringida en tus días de ayuno hasta que te fortalezcas. Tienes que ser amable contigo mismo durante todo el proceso, de lo contrario, terminarás preparándote para el fracaso por haber subido demasiado el listón personal. No te preocupes por nadie más que por ti mismo y céntrate en el momento. Disfruta del proceso por todo lo que es, ya que pasar por un ayuno intermitente te ayudará a alcanzar tus objetivos de salud.

Si consideras que el ayuno intermitente es demasiado difícil para ti, está bien que tomes un descanso durante uno o dos días. De esta manera, puedes reunir tu fuerza, coraje y determinación una vez más para abordar tus objetivos. Nunca te hagas el mal de abandonar porque es tu vida de la que estamos hablando. Sin embargo, debes cuidar tu salud en general. Si crees que el método que estás utilizando no es el adecuado para ti, detente e intenta algo diferente. Nada te impedirá alcanzar tu objetivo si lo deseas lo suficiente.

Al implementar el ayuno intermitente en tu vida, es importante tomar precauciones para que puedas mantenerte seguro durante el proceso. Debes respetar tu cuerpo y lo que trata de decirte en todo momento. Por ejemplo, si te sientes enfermo, mareado o algo no parece correcto, puede ser mejor romper el ayuno temprano. Tu salud es la prioridad número uno aquí, y no hay nada malo en romper el ayuno si es por el bien de tu salud. No dejes que el orgullo se interponga en el camino. Los dolores del hambre, sin embargo, no son una razón suficiente para detener el proceso de ayuno.

Al principio, querrás mantener tus períodos de ayuno cortos, especialmente si nunca has ayunado antes. Esto te ayudará a notar cómo reacciona tu cuerpo al proceso de ayuno, y podrás aumentar tu perseverancia con pasos de bebé. Incluso si necesitas ayunar durante ocho horas, debes hacer lo que sabes que puedes hacer para lograr tu objetivo. Una vez que logres estos pequeños pasos de bebé, tendrás más confianza en tí mismo y en tu cuerpo para superar una o dos horas más al día siguiente. Siempre hay que esforzarse, pero no demasiado como para arriesgar la salud.

También puedes seguir una dieta restringida en los días de ayuno mientras trabajas para lograr períodos más largos. Esta estrategia ayudará a tu cuerpo en la transición y te permitirá alcanzar el ayuno parcial mientras bebes agua. Debes comer pequeños bocadillos que equivalgan a 500 calorías para las mujeres y 600 calorías para los hombres. Una vez que hayas introducido la dieta restringida en los días de ayuno durante aproximadamente una semana, reduce el ayuno parcial para obtener beneficios óptimos.

El agua es de suma importancia. Si no bebes suficiente agua cuando estás en ayunas, pasarás por síntomas de deshidratación, que incluyen dolores de cabeza, sed, sequedad de boca y fatiga. La deshidratación puede ocurrir mucho más rápido de lo normal durante el proceso de ayuno, por lo que es mejor continuar lo más posible durante el período de ayuno. Los profesionales de la salud recomiendan que las personas beban aproximadamente ocho vasos de ocho onzas de agua todos los días. Es posible que necesites más, y eso está bien. El resultado final es que escuchas a tu cuerpo (Popkin, D'Anci, & Rosenberg, 2010).

Cuanto más prolongado sea el período de ayuno, más atención deberás poner en beber mucha agua. Esto ayudará a que el proceso se desarrolle con mayor fluidez. Puedes beber agua con gas, té y café durante el ayuno; sin embargo, deberás limitar las bebidas con cafeína a tres vasos durante todo el período de ayuno. De lo contrario, la cafeína puede tener un efecto negativo en tu cuerpo y contrarrestar tus objetivos de ayuno.

Resumen del capítulo

- Aunque tengas un gran objetivo en mente, divídelo en pasos más pequeños para que puedas construir la motivación para alcanzar tu objetivo final.
- Si sientes que tu cuerpo no se ajusta bien al método que has elegido, tómate un descanso durante un par de días e inténtalo de nuevo. Sé amable con tu cuerpo durante este período de transición.
- Beber agua es imperativo. No sólo te ayudará a sentirte más lleno durante la ventana de ayuno, sino que también te ayudará a hidratarte y a eliminar cualquier desecho de tu cuerpo de manera más eficiente.

En el próximo capítulo, aprenderás a seguir la dieta cetogénica y a utilizar un método de ayuno intermitente.

Capítulo Seis: Ayuno Intermitente y Dieta Cetogénica

El objetivo de la dieta cetogénica, también conocida como keto, es llegar al punto en el que tu cuerpo está creando cetonas mientras estás en cetosis y permanecer allí. La forma en que esto se hace es limitando fuertemente el número de carbohidratos que se consumen y reemplazándolos por grasas. Debido a que ingerirás una menor cantidad de carbohidratos, tu cuerpo utilizará los azúcares y las grasas almacenadas en tu hígado para ayudarte a eliminar la grasa almacenada en tu cuerpo. El resultado es la pérdida de peso para la que trabajan las personas cuando siguen protocolos de ayuno intermitente.

Cuando sigues la dieta Keto durante tu ayuno intermitente, ingieres aproximadamente 75 por ciento de grasas saludables, 5 por ciento de carbohidratos y 20 por ciento de proteínas. Cuando estés seguro de que puedes seguir estas pautas alimenticias, tu cuerpo entrará en el estado de cetonas durante tus períodos de ayuno si estás siguiendo un plan de ayuno intermitente intermedio o avanzado.

La cetosis es una expresión médica que define el estado del cuerpo cuando se producen cetonas a partir del consumo de grasa. Tu cuerpo normalmente produce glucosa a partir de la ingesta de carbohidratos, que es donde el cuerpo recibe su fuente de energía. Sin embargo, si la ingesta de carbohidratos es demasiado alta, puede causar aumento de peso y complicaciones de salud.

Las cetonas son un producto químico importante, quien se encarga de crearlas es el hígado, y es la grasa del cuerpo que se recicla para combustible. Este proceso ocurre cuando hay un déficit de insulina en tu cuerpo. La responsabilidad de la insulina es transformar la glucosa en la energía que necesitas para funcionar cada día.

La mayor parte de la información estudiada sobre las cetonas es para las personas que han ayunado porque el proceso de las cetonas comienza cuando el cuerpo gasta los carbohidratos presentes, haciendo que el hígado cree cetonas para compensar el déficit. Cuando se ayuna por más de 72 horas, el hígado creará aún más cetonas.

Para tener éxito, debes equilibrar el número de macronutrientes consumidos para mantener el nivel de cetonas que deseas en tu cuerpo en la dieta Keto. Si, por ejemplo, comes demasiadas proteínas, tus niveles de insulina se elevarán. Como aprendimos, esto sacará a tu cuerpo de las cetonas, resultando en la creación de azúcares por parte de la insulina que tu cuerpo está inclinado a utilizar como combustible y dejando de producir cetonas en el hígado.

Resumen del capítulo

- La base de la dieta keto es limitar severamente la ingesta de carbohidratos mientras se comen más grasas saludables. Esto lleva a la cetosis, que es el punto clave para las personas que siguen un ayuno intermitente.
- Durante la cetosis, se crean cetonas que ayudan al cuerpo a quemar grasa en lugar de carbohidratos porque se han agotado en el sistema. Esto ayuda a perder más peso.
- Es importante mantener bajos los niveles de proteína, ya que pueden hacer que la insulina se eleve en la sangre, lo que tendrá un efecto negativo en la pérdida de peso.

En el siguiente capítulo, aprenderás sobre los diferentes ejercicios que puedes realizar mientras sigues el protocolo de ayuno intermitente.

Capítulo Siete: Ayuno Intermitente y Ejercicio

Cuando quieras alcanzar tus objetivos de pérdida de peso, la mejor manera es establecer una rutina de ejercicios y combinarla con tu método de ayuno intermitente. Esta puede ser cualquier actividad no agotadora, ya que tendrás que ser suave con tu cuerpo mientras esté en modo de ayuno. Recuerda que debes mantenerte hidratado ya que tu cuerpo perderá más agua durante el ejercicio.

¿Por qué es importante el calentamiento?

Es imperativo que prepares tu cuerpo para el ejercicio porque no sólo minimizará el riesgo de lesiones, sino que también hay un propósito para los ejercicios de calentamiento.

1. Aumentar la temperatura del cuerpo: Al calentar tu cuerpo, estás ampliando tu rango de movimiento al hacer que tus músculos sean más elásticos; esta elasticidad ayudará a tu cuerpo a realizar los movimientos más fácilmente y disminuirá tus posibilidades de sufrir una lesión. Realizar ejercicios de calentamiento también oxigenará tu sangre.
2. Expansión de los vasos sanguíneos: La expansión de los vasos sanguíneos reducirá el riesgo de presión arterial alta durante la rutina de ejercicios.
3. tu cuerpo producirá hormonas a medida que se calienta. Estas hormonas aumentarán tus niveles de energía durante el ejercicio.

¿Por qué es importante enfriarse después de un entrenamiento?

El propósito del período de enfriamiento es permitir que el cuerpo se ajuste reduciendo la frecuencia cardíaca a la normal. El período de enfriamiento es un paso importante en el entrenamiento porque se es más propenso a los problemas cardiovasculares justo después de una sesión de ejercicio. Puedes reducir al mínimo la rigidez y el dolor al realizar los ejercicios de enfriamiento, ya que ayuda a ejercitar el ácido láctico que se acumula en el cuerpo durante el ejercicio. Una sesión de enfriamiento también le da a tu cuerpo la oportunidad de recircular la sangre y el oxígeno.

Rutina de ejercicios de calentamiento

Para calentar tu cuerpo, necesitas usar estiramientos dinámicos para mejorar tu rendimiento, fuerza y potencia durante tu rutina de ejercicios. Estos estiramientos no están aislados en el lugar donde se pondrías de pie o se sentarías - estos estiramientos hacen que te muevas y ayudan a que la sangre circule mejor en tu torrente sanguíneo. Hay cinco estiramientos que son los mejores para preparar tu cuerpo para el entrenamiento. Asegúrate de beber mucha agua antes, para no deshidratarte. Debes terminar una ronda de cada ejercicio antes de empezar cualquier entrenamiento:

1. Balanceo de piernas: Sujétate de un soporte como una barra o una pared y levanta una pierna a un lado. Luego, baja la pierna por el cuerpo hasta la parte delantera de la otra pierna. Repite diez veces y luego cambia a la otra pierna.

2. Caminata Frankenstein: Aprieta y estira las rodillas, luego camina hacia atrás y adelante manteniendo las piernas estiradas, pateando la pierna hacia arriba y alcanzándola con la mano opuesta con cada paso. Flexiona los dedos de los pies mientras caminas por quince yardas.

3. Estocadas caminando: Avanza con un pie y baja lentamente todo el cuerpo mientras dejas caer la rodilla opuesta hacia el suelo. No dejes que tu rodilla delantera pase de un ángulo de 90 grados con tu pie delantero. Repite este paso mientras caminas hacia delante con el otro pie durante unas quince yardas.

4. Giros de torso doblado: Párate con los pies separados a la anchura de los hombros y extiende los brazos a los lados. Mantén los brazos extendidos a los lados, luego baja la mano (los brazos siguen rectos) para tocar el pie opuesto, y la otra mano alcanza el cielo. Mientras estás agachado, asegúrate de mantener la espalda

recta con los omóplatos echados hacia atrás. Gira tu núcleo para que tu otra mano toque el pie opuesto. Gira hacia atrás y adelante durante veinte repeticiones.

5. Sentadillas profundas: Párate con los pies separados a la anchura de los hombros. Levanta los brazos frente al torso; puedes cruzar los brazos, mantenerlos extendidos o mantenerlos en posición de "boxeo". Acuclíllate lo más cerca posible a un ángulo de 90 grados mientras empujas tus nalgas hacia afuera por detrás. Mientras estés en esta posición, mantén las rodillas detrás de los dedos de los pies. Ponte de pie. Repite esto durante diez repeticiones.

Estos ejercicios deben tomar entre cinco y diez minutos para completarlos. Una vez que hayas completado una serie de cada ejercicio de calentamiento, estarás listo para pasar a tu rutina de ejercicios principal, que puede incluir caminar, trotar un poco, patinar o cualquier otro ejercicio de bajo consumo de calorías que te guste.

Proceso de enfriamiento

Usa estos ejercicios para enfriar tu cuerpo después de un entrenamiento:

1. Trote ligero: Siempre es una buena idea intentar un ligero trote de cinco minutos después de un entrenamiento, ya que ayudará a eliminar la acumulación de ácido láctico. No corras tan fuerte como lo harías normalmente - exagera tus movimientos de brazos y piernas y haz que se muevan, pero ve despacio.

2. Estiramiento del flexor de la cadera: Separa los pies un poco menos del ancho de los hombros. Da un paso adelante con un pie para que quede plano en el suelo, luego extiende los brazos hacia arriba; la otra pierna debe quedar doblada. Mantén el torso y las caderas rectos y ponte en cuclillas, presionando las caderas hacia abajo y hacia delante. Mantén la posición por cinco segundos, luego párate derecho mientras bajas los brazos. Repite varias veces a ambos lados.

3. Estiramiento de isquiotibiales sentado: Siéntate en el suelo con las rodillas rectas y las piernas separadas en un ángulo de 45 grados delante de ti. Extiende ambas manos hacia un pie mientras mantienes la espalda recta. Manténlo por 20 segundos y repite con la otra pierna.

4. Estira los hombros: Levanta un brazo por encima de su cabeza y dóblalo en el codo. Lleva tu brazo doblado hacia el centro de tu espalda y presiónalo suavemente con la otra mano. Mueve el mismo brazo a través de tu torso para que se extienda a través de tu pecho y presiona la articulación del codo suavemente con la otra mano. Manténlo así durante 20 segundos y luego repite este estiramiento con el otro brazo.

Al final de tu rutina de ejercicios, ve a casa, toma una ducha y duerme bien. Si estás haciendo tu rutina justo antes del final de tu período de ayuno, come un bocadillo sensato y luego come bien una o dos horas después del entrenamiento. ¡Recuerda beber mucha agua para mantenerte hidratado!

Resumen del capítulo

- Hacer el calentamiento antes del ejercicio ayuda a que los vasos sanguíneos se expandan, permitiendo que fluya más oxígeno. También ayuda a mantener los niveles de presión sanguínea bajos durante el tiempo de ejercicio.
- El tiempo de enfriamiento es imprescindible para reducir el aumento de la frecuencia cardíaca a un nivel normal. Esto te ayudará a tener menos problemas de dolor y rigidez.
- Dormir lo suficiente es tan importante como hacer ejercicio diariamente. Dormir 8 horas por noche ayuda a tu cuerpo a rejuvenecer y sentirse fresco para el día siguiente.

En el próximo capítulo, aprenderás sobre la autofagia y cómo funciona para ayudar a tu cuerpo a estar más saludable.

Capítulo Ocho: Autofagia

A nivel celular, el ayuno intermitente puede hacer que se inicien los procesos de reparación celular, incluida la eliminación de los desechos dañinos de las células. Los efectos también muestran una reducción de la inflamación y del estrés y los daños oxidativos. El proceso de limpieza del sistema sanguíneo se conoce como autofagia. Durante el proceso de reparación, las células descomponen y metabolizan las proteínas que se han ido deteriorando dentro de las células. Cuando el cuerpo puede pasar adecuadamente por el proceso de autofagia, se reducen las posibilidades de padecer la enfermedad de Alzheimer y el cáncer (Wen & Klionsky, 2019).

Se cree que el proceso de autofagia comienza aproximadamente 20 horas después de que se inicia el ayuno, con un pico entre 48 y 72 horas. Es un proceso que ocurre naturalmente, pero se cree que los métodos de ayuno intermitente ayudan a que la autofagia se inicie más rápidamente. El término "autofagia" en realidad se traduce como "autocomida" en griego y es cuando las células se liberan de los desechos y se regeneran.

El proceso en realidad causa que las células se pongan bajo estrés porque se les priva de las calorías que necesitan para funcionar correctamente. Cuando esto ocurre, la célula trabaja más eficientemente haciendo un inventario de lo que ya tiene. Al hacerlo, la célula limpia cualquier componente dañado o innecesario que termine siendo un desecho y sea eliminado del cuerpo.

Puede haber cierta preocupación de que esté eliminando las células de todo el cuerpo. Sin embargo, hay un cierto tiempo de vida que cada célula tiene. Si está enferma y necesita ser curada, pasar por el proceso de autofagia puede ayudar a esta célula a regenerarse y ser lo más eficiente posible, antes del final del ciclo de la célula. Tu cuerpo siempre está generando nuevas células, así que no hay que preocuparse de matar células en todo el cuerpo.

Para iniciar la autofagia más rápidamente, asegúrate de tener una rutina de ejercicios diarios durante tu protocolo de ayuno intermitente. También ayudará a que los desechos sean eliminados de tu cuerpo más rápidamente, dejándote más saludable.

Resumen del capítulo

- La autofagia es un proceso natural que se inicia durante el proceso de ayuno.
- Las células de tu cuerpo son capaces de ser más eficientes porque se deshacen de los componentes innecesarios que no funcionan para su beneficio.
- Al ayunar, puedes eliminar las toxinas y los desechos de tu cuerpo a un ritmo mucho más rápido, lo que te ayudará a estar más saludable más rápidamente.

En el próximo capítulo, aprenderás sobre otro tipo de método de ayuno intermitente conocido como OMAD.

Capítulo Nueve: OMAD

Otro método de ayuno intermitente se conoce como OMAD (One meal a day), o Una comida al día. La idea es que se ayuna durante 23 horas del día mientras se come sólo la hora restante. Idealmente, comerías tu comida después del período de tiempo en que estás más activo en tu día. Suena como una versión más extrema del ayuno intermitente si estás empezando, pero hay algunos beneficios fantásticos en este tipo de ayuno.

Aquellos que siguen la forma OMAD de ayuno intermitente dicen que son más productivos y están más concentrados durante el día. No hay lentitud después de comer durante el día debido a la digestión. Y como sólo necesitas preparar la comida una vez al día, hay mucho más tiempo para concentrarse en las tareas que tienes a mano.

Para sacar el máximo provecho de la pérdida de peso, todavía debes asegurarte de que tu comida es equilibrada y no está sobrecargada con calorías vacías. Como este es el momento en que tu cuerpo va a recibir su influjo de nutrientes, quieres que sean los mejores para tu salud. Pero aún así, comiendo una comida balanceada, probablemente no obtendrás la cantidad normal de calorías que te llevará a perder peso.

También se puede seguir por razones religiosas, pero tienes la sensación de que la comida no te domina. No hay necesidad de contar cuántas horas faltan para la siguiente ventana de comida porque estarías comiendo a la misma hora cada día. Mejorará tu relación con la comida mientras disfrutas de la comida que comes.

Si bien debes mantenerte activo mientras sigues el programa de Una Comida al Día, es probable que veas un efecto negativo si tratas de incorporar un serio entrenamiento de fuerza en tu rutina. Si este es tu objetivo personal, considera hacer el método 16:8 para sacar más provecho del programa de ayuno intermitente. Por otra parte, el seguimiento de estos tipos de ayuno a largo plazo se ha demostrado en la investigación médica para reducir el riesgo de diabetes y cáncer (Brandhorst, et al., 2015).

Resumen del capítulo

- OMAD es un acrónimo que significa Una Comida al Día. Es otro método en el que tienes una ventana de ayuno de 23 horas y comes en la hora que sobra del día.
- Al tener más tiempo para concentrarte en tus proyectos, descubrirás que no estás perezoso durante el día porque tu tracto digestivo no está ocupado después de las comidas.
- Al igual que los otros métodos de ayuno intermitente, necesitas fijar una hora específica cada día para que obtengas de tu comida el mayor beneficio.

En el siguiente capítulo, aprenderás información específica relacionada con las mujeres que desean seguir el ayuno intermitente.

Capítulo Diez: Ayuno Intermitente para Mujeres

Aunque no se han realizado investigaciones exhaustivas sobre los beneficios para el hombre frente a la mujer, en estudios sobre ratas se ha comprobado que las ratas hembras sufrían de pérdida de ciclos menstruales, infertilidad y aumento de la masculinidad mientras se sometían a métodos de ayuno intermitente (Martin, et al., 2007).

Este caso también ha sido cierto según varias historias personales de mujeres que habían perdido sus ciclos menstruales; estas mujeres también descubrieron que sus ciclos menstruales volvían a la normalidad después de dejar de practicar el ayuno intermitente. Si experimentas la falta de períodos mientras pasas por los métodos de ayuno intermitente, deja de ayunar o intenta un enfoque más suave. Asimismo, si estás embarazada o amamantando, suspende el ayuno intermitente ya que puede ser perjudicial para ti y el bebé.

Existen diferencias en la forma en que las mujeres necesitan acercarse al ayuno intermitente en comparación con los hombres. Como se ha mencionado anteriormente, hay diferentes efectos que los protocolos de ayuno intermitente tienen en el cuerpo de las mujeres, como que los niveles de azúcar en la sangre empeoran en lugar de mejorar. La buena noticia es que se ha investigado este tema, y hay formas de contrarrestar estas posibilidades.

Es mejor que las mujeres se atengan a tiempos cortos para el ayuno, lo que significa que las mujeres deben comenzar su viaje de ayuno intermitente comenzando con un ayuno de ocho a doce horas. Elijan una cantidad con la que se sientan cómodas y luego aumenten una hora cada día. No pases de 24 horas hasta que sepas cómo te afectarán los ayunos.

Otra preocupación son las dietas con restricción de calorías. Desafortunadamente, el cuerpo de las mujeres puede estar sometido a estas restricciones, lo que provoca que la parte del hipotálamo del cerebro se desequilibre. La hormona ayudante conocida como la hormona liberadora de gonadotropina se altera, lo que causa una reacción en cadena. El cuerpo necesita la hormona liberadora de gonadotropina para secretar dos hormonas reproductivas conocidas como hormona luteinizante y hormona estimulante de folículos (Meczekalski, Katulski, Czyzyk, Podfigurna-Stopa, & Maciejewska-Jeske, 2014).

Debido a que estas hormonas no se están liberando, puede causar una pausa o un paro completo en el ciclo menstrual de una mujer porque el cuerpo no está produciendo estrógeno o progesterona para liberar un óvulo. Esta ocurrencia puede no ser siempre el caso con todas las mujeres. Sin embargo, si te das cuenta de que se retrasa constantemente o que te faltan períodos, debes considerar la posibilidad de revisar tu dieta y reducir los días de ayuno o los períodos hasta que tu cuerpo vuelva al modo de mantenimiento a través de un ayuno intermitente (Watkins & Serpell, 2016).

Existen pruebas científicas que demuestran que los períodos cortos de ayuno no afectan a la producción de leche en las madres lactantes; sin embargo, hay que ser diligente en el consumo de cantidades copiosas de agua. Si te deshidratas, es probable que tu suministro de leche se vea afectado (Rakicioğlu, Samur, & Topçu, A.A., 2006).

En cuanto a las mujeres embarazadas, es mejor abstenerse de ayunar de forma intermitente durante cualquier parte del embarazo, incluso durante el intento de concepción, ya que causará daños al embarazo durante el proceso. Comienza el programa eliminando de tu vida cualquier alimento o hábito no saludable. Una vez que des a luz, puedes comenzar con los métodos de ayuno intermitente. Si ya practicaste la eliminación de alimentos no saludables, también estarás más preparada

Resumen del capítulo

- La mayor lucha que tienen las mujeres al seguir un ayuno intermitente es que pueden ver desaparecer su ciclo menstrual. Este es un síntoma que significa que necesitan parar y hablar con su dietista para ver qué nutrientes pueden estar faltando en su dieta actualmente.

- Aquellas que están tratando de quedar embarazadas o que están actualmente embarazadas no deben hacer ningún protocolo de ayuno intermitente. En su lugar, coman alimentos saludables y empiecen a hacerlo después de que nazca el bebé.
- Las dietas restrictivas en calorías mientras se siguen los métodos de ayuno intermitente no son recomendables ya que afectan al hipotálamo al liberar las hormonas necesarias.

En el próximo capítulo, aprenderás a tratar los antojos y los dolores del hambre durante la ventana de ayuno.

Capítulo Once: La mejor manera de manejar los dolores y antojos del hambre

Es probable que sientas hambre durante el período de ayuno. Sin embargo, hay varias maneras de contrarrestar esta sensación. Si sigues sólo unos pocos pasos, entonces sabrás cómo pasar más fácilmente por tu período de ayuno sin tener que soportar los constantes dolores del hambre todo el tiempo.

En primer lugar, mira si has elegido el método de ayuno intermitente correcto. Es posible que te hayas confiado demasiado al comenzar con las 16 horas o más por primera vez. Empezar con 12 horas y acumular más horas de ayuno es más eficiente, y sentirás menos hambre durante el proceso.

Deberías beber un vaso lleno de agua para ayudar a curar tus dolores de hambre. Esto se debe a que tu cuerpo se deshidrata mientras duermes, y junto con los períodos de ayuno, tu cuerpo deseará agua. También acelera los órganos de tu cuerpo para que puedan trabajar durante el día. Apunta a beber 16 onzas de agua a primera hora después de que te despiertes, y notarás que los antojos de hambre disminuyen.

Con el ayuno, la fuerza de voluntad es la clave. Tendrás que superar algunos momentos difíciles, y necesitarás la motivación para tener éxito. Ten una charla de ánimo contigo mismo cuando te sientas deprimido. Necesitas recordarte a ti mismo por qué estás ayunando en primer lugar y elevarte por encima de los problemas. Cuando puedas cambiar tu forma de pensar y te capacites para salir adelante, estarás a mitad de camino en la batalla.

Si te mantienes ocupado haciendo otras cosas, es probable que no te des cuenta de que no has comido durante tanto tiempo. Mantener la mente en las tareas será una sana distracción. Verás que no mirarás tu reloj cada cinco minutos para ver cuánto tiempo te queda en el período de ayuno tan a menudo, y te ayudará a ser más productivo cuando puedas cambiar tu enfoque a otra cosa.

Si todavía tienes hambre, prepárate una taza de té con sabor. El sabor de tu té de frutas o hierbas engañará a tu mente para que piense que le estás dando algo para satisfacer tu hambre. También añadirá alguna variedad de beber agua simple durante tu ayuno. También es prudente encontrar un chicle sin azúcar que te guste cuando sientas los dolores del hambre. El movimiento de la boca al masticar desencadena una respuesta psicológica a tu hambre. Asegúrate de no consumir ningún otro dulce como caramelos, pastillas para la tos o mentas, ya que son contraproducentes para la capacidad de tu cuerpo de permanecer en la cetosis.

A veces la razón por la que te sientes excesivamente hambriento es que no estás consumiendo los alimentos adecuados durante la ventana de comer, o no estás comiendo lo suficiente para nutrir tu cuerpo. Aunque mucha gente dice que puedes comer lo que quieras durante sus periodos de comida, es contraproducente que lo hagas durante tu periodo de ayuno. Si comes comida chatarra y dulces en lugar de comidas integrales con un equilibrio de carbohidratos complejos, grasas saludables y proteínas, te sentirás lento y, como resultado, la experiencia del ayuno será más difícil.

Asegúrate de que descansas tu cuerpo cada noche durmiendo bien. El sueño te ayudará a rejuvenecer tu cuerpo mientras atraviesa los cambios que conlleva el ayuno, y te ayudará a estar más consciente y con más energía durante el día. Si no duermes lo suficiente, habrá una sobrecarga de la hormona grelina, lo que indica a tu cuerpo que tienes hambre.

Si te encuentras agotado a menudo, puede que estés exagerando en el proceso de ayuno intermitente y que tu cuerpo esté jugando a ponerse al día. Es entonces cuando necesitas conocer tus límites. Es saludable empujar los límites, pero es mejor dejar que el cuerpo trabaje en los cambios antes de hacerlo.

A veces, el estilo de vida de ayuno intermitente es demasiado, y en estas situaciones, está bien tomar un pequeño descanso. De esta manera, tendrás tiempo para evaluar lo que funcionó y lo que no funcionó para que puedas abordar el ayuno intermitente desde un método diferente. Si luchas con tu relación con la comida, puede que descubras que este es el caso. Necesitas mirar dónde estás y a dónde quieres ir en términos de tus objetivos. Una vez que tengas una mejor idea de tus objetivos y de cómo llegar allí, entonces puedes utilizar el ayuno intermitente para ayudarte.

Durante las primeras semanas de ayuno intermitente, probablemente estarás bajo de energía. Esto es una señal de tu cuerpo de que puedes estar utilizando demasiada energía en las actividades. Asegúrate de escuchar a tu cuerpo durante este período de transición. No sólo te lo harás más fácil a ti mismo, sino que es saludable que te tomes un descanso para tu propio bienestar. Si te ejercitas demasiado, tal vez cambies a hacer estiramientos de yoga o a dar un paseo. Estos ejercicios harán que tu cuerpo se esfuerce menos mientras ayunas de forma intermitente.

Una trampa peligrosa es que es tentador atiborrarse una vez que se deja de ayunar. Querrás felicitarte a ti mismo por haber cumplido tu ayuno, pero intenta evitar celebrarlo con comida, ya que sólo complicarás las cosas si comes una gran cantidad de comida después de completar tu ayuno. Mucha comida a la vez te hará sentir cansado e hinchado, y será más difícil hacer tu próximo ayuno. Desde el punto de vista calórico, te propones consumir demasiadas calorías porque querrás comer más adelante en tu ventana de comida. La mejor solución es comenzar con un pequeño bocadillo o comida sensata cuando vuelvas a entrar en la ventana de comer. Este enfoque eliminará la sensación de hambre, y no tendrás que sufrir un malestar estomacal.

Los problemas que pueden surgir cuanto más tiempo realices el ayuno incluyen la incapacidad para concentrarse, la falta de energía, los dolores del hambre, los desmayos, los cambios de humor y la irritabilidad (Harvie & Howell, 2017). Si te das cuenta de que tienes estos problemas a menudo durante el período de ayuno, debes observar lo que comes antes de entrar en el ayuno o tratar de acortar los períodos de ayuno hasta que el cuerpo se adapte a los cambios. Recuerda que el proceso de ayuno debe ser gradual.

Si puedes seguir estos sencillos trucos, te será más fácil pasar por tus períodos de ayuno. Habrá dificultades, pero ahora ya sabes cómo abordar esos temas como un profesional.

Resumen del capítulo

- El agua es siempre tu amiga mientras ayunas. Bebe 16 onzas de agua cuando te despiertes para que tus órganos funcionen correctamente y te sientas más lleno.
- Beber agua puede ser un poco aburrido, así que mézclala con un té de hierbas o de frutas. También puedes tomar café, pero limítate a tres vasos durante la ventana de ayuno.
- Si te das cuenta de que tienes demasiada hambre durante las ventanas de ayuno, observa de antemano los alimentos que estás comiendo. Acostúmbrate a comer más alimentos enteros en lugar de calorías vacías y comida basura.

Palabras Finales

Me complace que hayas comprado este libro, ya que estás un paso adelante en la toma de mejores decisiones para tu salud. La clave es usar esta información para comenzar a usar el método que tú creas que funcionará mejor, fijar una fecha y ponerse en marcha. Se necesitará un poco de fuerza de voluntad para pasar los primeros días, especialmente si estás acostumbrado a comer durante todo el día. Pero es muy posible con concentración y determinación.

Si tienes alguna preocupación importante sobre tu salud, asegúrate de hablar con tu profesional médico o dietista para saber que estás haciendo lo mejor para ti personalmente. Es importante que durante todo el proceso escuches a tu cuerpo. Habrá muchos cambios por los que pasarás, y tienes que cuidarte en general. Recuerda que no es un fracaso si tienes que tomarte un descanso durante un par de días mientras tu cuerpo empieza a ajustarse a su nuevo plan de alimentación.

Asegúrate de utilizar los consejos para ayudarte a hacer que el ayuno intermitente funcione mejor para ti y mantén el agua a mano para no deshidratarte durante el proceso. Siempre que tengas hambre, repasa el último capítulo para ayudarte a superar estos obstáculos fácilmente. Hay muchas otras personas que ya han hecho lo que tú quieres empezar. No estás solo, y sin duda puedes empezar a ver los beneficios como ellos lo hicieron en un corto período de tiempo.

Te deseo la mejor de las suertes, y espero que alcances tus objetivos de salud rápidamente.

Si has disfrutado de este libro, ¡una crítica honesta es siempre apreciada!

Ingram Content Group UK Ltd.
Milton Keynes UK
UKHW022123180723
425383UK00005B/34